DE BEM
COM DEUS

SANTO AFONSO DE LIGÓRIO

DE BEM COM DEUS

Vontade de Deus
Conversa com Deus
Amor de Deus

DIREÇÃO EDITORIAL: Pe. Flávio Cavalca de Castro, C.Ss.R.
Pe. Carlos Eduardo Catalfo, C.Ss.R.

COORDENAÇÃO EDITORIAL: Elizabeth dos Santos Reis

COPIDESQUE: Elizabeth dos Santos Reis

COORDENAÇÃO DE REVISÃO: Maria Isabel de Araújo

REVISÃO: Marilena Floriano
Vanini N. Oliveira Reis

DIAGRAMAÇÃO: Marcelo Antonio Sanna

CAPA: Felipe Marcondes

I. O amor de Deus: Tradução e adaptação de José Dutra
II. A vontade de Deus e III. Conversa com Deus: Tradução e adaptação de Pe. João Ribeiro de Carvalho C.Ss.R.

Dados Internacionais de Catalogação na Publicação (CIP)
(Câmara Brasileira do Livro, SP, Brasil)

Ligório, Afonso de
De bem com Deus: Vontade de Deus, Conversa com Deus, Amor de Deus / Afonso de Ligório; tradução e adaptação José Dutra. Aparecida, SP: Editora Santuário, 2001.

Títulos originais: Uniformità alla volontà di dio; Modo di conversare continuamente ed alla famigliare com dio; Dell'amor divino e dei mezzi per acquistarlo.

ISBN 85-7200-759-8
ISBN 978-65-5527-143-0 (e-book)

1. Deus - Adoração e amor 2. Deus - Amor 3. Deus - Vontade 4. Oração 5. Santidade 6. Vida espiritual I. Título.

01-3142 CDD-248-4

Índices para catálogo sistemático:

1. Espiritualidade: Cristianismo 248.4

6ª impressão

Rua Padre Claro Monteiro, 342 – 12570-000 – Aparecida-SP
Tel.: 12 3104-2000 – Televendas: 0800 016 00 04
www.editorasantuario.com.br
vendas@editorasantuario.com.br

I

O AMOR DE DEUS E OS MEIOS PARA ADQUIRI-LO

Segundo A. Tannoia, primeiro biógrafo de Afonso, este teria sido o último opúsculo escrito pelo santo. Pode ser considerado o resumo de toda a sua doutrina espiritual, centrada sempre no amor a Deus. O texto foi publicado em 1775, como apêndice ao livro "*A admirável conduta da Divina Providência*".

1. DEUS NOS AMA E QUER SER AMADO POR NÓS

Deus quer a salvação de todos

Porque muito nos ama, o nosso bom Deus deseja muito ser amado por nós; e, por isso, não só nos chamou ao seu amor, com tantos convites repetidos nas Sagradas Escrituras e com tantos benefícios comuns e particulares, mas quis também obrigar-nos a amá-lo com mandamento expresso, ameaçando com o inferno a quem não o ama e prometendo o paraíso a quem o ama. Ele quer que todos se salvem e que nenhum se perca, como ensinam muito claramente São Paulo e São Pedro: *"Ele deseja que todos os homens sejam salvos"* (1Tm 2,4). *"(O Senhor) usa de paciência para convosco. Não deseja que alguém pereça. Ao contrário, quer que todos se arrependam"* (2Pd 3,9). — Mas, já que Deus quer todos salvos, por que criou o inferno? Ele criou o inferno não para ver-nos condenados, mas para ser amado por nós. Se não tivesse criado o inferno, quem no mundo o amaria? Se com todo o inferno a maior parte dos homens prefere condenar-se a amar a Deus, se não houvesse o inferno, repito, quem o amaria? Por isso o Senhor ameaçou com um castigo eterno quem não quer amá-lo, para que aqueles que não querem amá-lo de boa vontade ao menos o amem como que à força, constrangidos pelo medo do inferno.

Deus não se envergonha de pedir o nosso amor

Ó Deus, quanto se sentiria honrado e feliz alguém que ouvisse seu rei dizer-lhe: *Ame-me, porque eu amo você!* Um príncipe se pouparia de rebaixar-se a este gesto de pedir a um súdito o seu amor; mas Deus, que é uma bondade infinita, o Senhor de tudo, Todo-Poderoso, sapientíssimo, em suma, um Deus que merece um amor infinito, um Deus que nos enriqueceu com seus dons espirituais e temporais, não se envergonha de pedir-nos o nosso amor, exorta-nos e nos manda amá-lo, e não o pode conseguir? Que outra coisa ele pede a cada um de nós, se não ser amado? *"O que exige de ti o Senhor teu Deus, senão que o temas... amando e servindo ao Senhor teu Deus?"* (Dt 10,12). Com esta finalidade, veio também à terra conversar conosco o Filho de Deus, como ele mesmo disse: *"Eu vim pôr fogo à terra, e como gostaria que já estivesse aceso!"* (Lc 12,49). Notem-se estas palavras: *"e como gostaria que já estivesse aceso!"*, como se um Deus que possui em si uma felicidade infinita não pudesse ser feliz sem ver-se amado por nós, diz Santo Tomás: *"Como sem você não pudesse ser feliz"*.

Deus quer que o amemos com todo o coração

Não podemos, então, duvidar que Deus nos ama e nos ama muito; e, porque nos ama tanto, ele quer que nós o amemos com todo o coração. Donde diz a cada um de nós: *"Amarás o Senhor teu Deus, com todo o coração"* (Dt 6,5). E depois acrescenta: *"E trarás bem dentro do coração todas estas palavras... e delas falarás quando estiveres sentado em casa e quando estiveres andando pelos caminhos; quando te deitares e quando te levantares. Hás de atá-las à mão para te servirem de sinal; e as colocarás como faixa entre os olhos, e as escreverás nos umbrais da casa e nas portas"* (Dt 6,6-9). Em todas estas palavras transparecem o desejo e a ansiedade que Deus tem de ser amado por todos nós. Quer que as palavras *amá-lo com todo o coração* nos sejam impressas no coração; e, para que não nos esqueçamos delas, quer que as meditemos quando estivermos sentados em casa, quando andarmos pelos caminhos, quando formos dormir e quando acordarmos. Quer que as tenhamos amarradas às mãos, como um sinal de recordação, para que, onde nos encontrarmos, tais palavras nos estejam sempre diante dos olhos; por isso os fariseus, tomando-as ao pé da letra, traziam-nas em faixas no braço direito e na testa, segundo escreve São Mateus (cf. Mt 23,5).

Deus se une à alma que o ama

Escreve São Gregório de Nissa: *"Feliz flecha, que consigo traz ao coração Deus que a lançou!"* Quer dizer o santo padre que quando Deus lança alguma seta de amor num coração, isto é, alguma luz especial com que o faz conhecer sua bondade, o amor que lhe tem e o desejo que tem de ser amado por ele, naquele momento vem o próprio Deus junto com aquela seta de amor, enquanto ele, que é o arqueiro, é o próprio amor: *"Porque Deus é Amor"* (1Jo 4,8). E como a seta fica fixa no coração que feriu, assim Deus, ferindo uma alma com seu amor, acaba por ficar sempre unido com aquela alma que feriu.

Fiquemos persuadidos, ó seres humanos, que só Deus nos ama de verdade. O amor dos parentes, dos amigos e de todos os outros que dizem amar-nos, exceto aqueles que nos amam somente em consideração a Deus, é amor interesseiro, voltado para algum fim do amor próprio, pelo qual nos amam.

Sim, meu Deus, eu bem sei que só vós me amais e me quereis bem, não por vosso interesse, mas somente por vossa bondade, somente pelo amor com que me amais; e eu, ingrato, a ninguém dei tantos desgostos, tantas tristezas como a vós, que me amastes assim. Meu Jesus, não permitais que eu vos seja mais ingrato. Vós me amastes de verdade e eu quero amar-vos de verdade nesta vida que me resta. Eu vos digo com Santa

Catarina de Gênova: *"Meu amor, não mais pecados, não mais pecados"*; a vós somente quero amar e nada mais.

Quem ama a Deus só quer o que Deus quer

Diz São Bernardo que uma alma que ama verdadeiramente a Deus *"não pode querer senão o que Deus quer"*. Peçamos ao Senhor que nos fira com seu santo amor, porque uma alma ferida não sabe nem pode querer senão aquilo que Deus quer, e se despoja de todos os desejos de amor próprio. Esse despojamento, com a entrega total de si mesma a Deus, é a seta com a qual o próprio Senhor se declara ferido pela alma, como disse à sagrada esposa: *"Arrebataste-me o coração, minha irmã e minha noiva"* (Ct 4,9).

Deus se torna prisioneiro da alma que se dá toda a ele

Como é bela a expressão do mesmo São Bernardo a este respeito: *"Aprendamos a lançar os corações a Deus"*. Quando uma alma se dá toda a Deus, sem reserva, de certo modo lança o seu coração como um dardo ao coração de Deus, que se declara então como preso e feito prisioneiro daquela alma que se deu toda a ele. Este é o exercício das almas dadas todas a Deus, na oração que fazem: "*Lançam os corações a Deus*"; entregam-se todas a Deus e sempre tornam a entregar-se, com estas ou semelhantes jaculatórias amorosas:

Meu Deus e meu tudo. Meu Deus, só a vós eu quero e nada mais.

Senhor, eu me dou toda a vós. E, se não sei dar-me toda como devo, tomai-me vós.

E a quem quero amar, meu Jesus, se não amo a vós, que morrestes por mim?

"*Levai-me convosco*" (cf. Ct 1,4). Meu Salvador, tirai-me da lama dos meus pecados e atraí-me para vós.

Prendei-me, Senhor, e apertai-me com as correntes do vosso amor, para que eu não vos deixe mais.

Eu quero ser toda vossa. Senhor, vós me ouvistes? Quero ser vossa, toda vossa; vós o haveis de fazer.

E que outra coisa quero eu, senão a vós, meu amor, meu tudo?

Já que me chamastes ao vosso amor, dai-me a força de agradar-vos como desejais.

E a quem quero amar, senão a vós, que sois uma bondade infinita e digna de infinito amor?

Vós me inspirastes o desejo de ser toda vossa; completai a obra.

E que outra coisa quero eu neste mundo, se não a vós, que sois o meu supremo bem?

Eu me dou a vós sem reserva; aceitai-me e dai-me força de ser-vos fiel até à morte.

Eu quero amar-vos muito nesta vida, para amar-vos muito por toda a eternidade.

Meu Jesus, meu amado,
não quero outra coisa, senão a vós.
Dou-me toda a vós, meu Deus.
Fazei de mim o que quiserdes.

Quem diz de coração esta cançãozinha alegra o paraíso.

O amor de Deus é um tesouro: feliz quem o possui

Em suma, feliz aquela alma que pode dizer em verdade: *"O meu amado é todo meu, e eu sou dele"* (Ct 2,16). O meu Deus se deu todo a mim, e eu me dei toda a ele; eu não sou mais minha, sou toda do meu Deus. Quem fala assim de coração sincero, diz São Bernardo que essa alma está disposta a aceitar bem depressa as penas do inferno — se pudesse aceitá-las sem separar-se de Deus — antes que se ver separada de Deus por um só momento. *"Seria mais tolerável para ela suportar o inferno, do que se afastar dele"*, são as palavras do santo abade.

Que belo tesouro é o tesouro do amor de Deus. Feliz quem o possui: faça todo o empenho e use todos os meios necessários para conservá-lo e fazê-lo crescer; e quem ainda não o possui deve empregar todos os meios para adquiri-lo.

Vejamos agora quais são os meios mais necessários e aptos para adquiri-lo e conservá-lo.

2. PRIMEIRO MEIO PARA ADQUIRIR O AMOR DE DEUS: DESAPEGAR-SE DOS AFETOS TERRENOS

O amor de Deus não encontra lugar num coração cheio de terra

Num coração cheio de terra não encontra lugar o amor de Deus; e quanto mais terra houver nele, tanto menos reina aí o amor divino. Porque quem deseja ter o coração cheio do amor divino deve cuidar de tirar dele toda a terra. Para nos tornarmos santos, temos de imitar São Paulo, que, para ganhar o amor de Jesus Cristo, desprezava como lixo todos os bens deste mundo: *"Considero perda todas as coisas, comparadas com o valor inexcedível do conhecimento de Cristo Jesus"* (Fl 3,8). Peçamos ao Espírito Santo que nos inflame com seu santo amor, porque, então, também nós desprezaremos e teremos por vaidade, por fumaça e lama, todas as riquezas, prazeres, honras e dignidades desta terra, pelas quais a maior parte dos seres humanos miseravelmente se perde.

Nada vale mais do que o amor de Deus

Quando o santo amor entra num coração, não se faz mais conta de tudo aquilo que o mundo estima: *"Se alguém quisesse comprar o amor, com todos os tesouros de sua casa, se faria desprezível"* (Ct 8,7). Diz São Francisco de Sales que, quando a casa pega fogo, jogam-se todos os móveis e utensílios pela janela; ele queria dizer que, quando num coração arde o amor de Deus, a pessoa humana, sem pregações e sem exortações do padre espiritual, por si mesma procura despojar-se dos bens mundanos, das honras, das riquezas e de todas as coisas da terra, para não amar outra coisa senão a Deus. Santa Catarina de Gênova dizia que não amava a Deus por seus dons, mas amava os dons de Deus para amar mais a Deus.

Deus não quer sócios no amor

Escreve Giliberto que para um coração que ama a Deus é duro e insuportável dividir o seu amor entre Deus e as criaturas do mundo, amando ao mesmo tempo Deus e as criaturas: *"Quão duro é para o amante dividir o amor com Cristo e o mundo!"* (Gilib. Serm. 11. in Cant.). Por sua vez, São Bernardo diz que o amor divino é insolente: *"O amor é insolente"*. Entende-se insolente, porque Deus não suporta num coração que ama que haja sócios no amor, uma vez que o quer todo para si. — Por acaso Deus pretende muito, querendo que uma alma não ame outros além dele? *"A suprema amabilidade,* adverte São Boaventura, *deve ser amada de maneira única"*. Uma amabilidade, uma bondade infinita que merece um amor infinito, como é Deus, pretende com justiça ser o único a ser amado por um coração por ele criado de propósito para que o ame; para tal fim, de ser o único amado, chegou a consumir-se todo por aquele coração, como dizia São Bernardo de si, falando do amor que lhe havia dedicado Jesus Cristo: *"Sacrificado totalmente para minha utili-*

dade". É o que pode e deve dizer cada um de nós, pensando em Jesus Cristo, que por nós sacrificou toda a sua vida e todo o seu sangue, morrendo numa cruz, consumido de dores; e que depois de sua morte nos deixou o seu corpo, o seu sangue e todo a si mesmo no Sacramento do altar, para que sejam comida e bebida de nossas almas e, assim, cada um de nós ficasse todo unido a ele mesmo.

Só Deus basta a quem o ama

Feliz aquela alma, escreve São Gregório, que chega a tal estado, que se lhe torna insuportável qualquer coisa que não seja Deus, a quem somente ela ama: *"É intolerável tudo o que não soa Deus, a quem ama inteiramente"* (S. Greg. Lib. 2 Mor. cap. 2). Por isso, precisamos evitar pôr afeto nas criaturas, para que não nos roubem parte do amor que Deus quer todo para si. E, ainda que esses afetos sejam honestos, como são os que se dão aos parentes ou aos amigos, é necessário advertir com São Filipe Néri que o amor que dedicamos às criaturas nós o tiramos de Deus.

Quem ama a Deus fecha o coração a outros afetos

Devemos, portanto, tornar-nos *jardins fechados*, como foi chamada pelo Senhor a sagrada esposa dos Cânticos: *"És um jardim fechado, minha irmã e minha noiva"* (Ct 4,12). Jardim fechado chama-se aquela alma que mantém a porta fechada a todos os afetos para com as coisas terrenas. Portanto, quando alguma criatura quer entrar e apossar-se de parte do nosso coração, é preciso impedir-lhe totalmente a entrada. E, então, devemos voltar-nos para Jesus Cristo e dizer-lhe: *Meu Jesus, só vós me bastais; eu não quero amar outra coisa senão a vós; Deus do meu coração e minha herança para sempre* (cf. Sl 72,26). *Meu Deus, vós haveis de ser o único Senhor do meu coração, o meu único amor.* E, por isso, não cessemos de pedir sempre a Deus que nos dê a graça do seu puro amor, pois, segundo São Francisco de Sales, *"o puro amor de Deus consome tudo o que não é Deus, para transformar tudo em si"*.

3. SEGUNDO MEIO PARA ADQUIRIR O AMOR DE DEUS: MEDITAR A PAIXÃO DE NOSSO SENHOR JESUS CRISTO

Devemos considerar quanto Jesus Cristo sofreu por nós

Sobre este assunto o meu leitor pode ler o meu livro, publicado há pouco tempo, intitulado *Reflexões sobre a Paixão de Jesus Cristo*, no qual encontrará amplamente analisadas as penas que o nosso Salvador padeceu na sua Paixão.

De resto, é certo que o fato de Jesus Cristo ser tão pouco amado no mundo nasce do descaso e da ingratidão dos homens, por não quererem considerar, ao menos de vez em quando, o quanto Jesus Cristo sofreu por nós e o amor com o qual sofreu por nós. Diz São Gregório que parece uma loucura um Deus ter querido morrer para salvar a nós, miseráveis servos; mas é mesmo de fé que Deus o fez: *"Amou-nos e entregou-se a si mesmo por nós"* (cf. Ef 5,2); e quis derramar todo o seu sangue para lavar com ele os nossos pecados: *"Àquele que nos ama e que nos salvou de nossos pecados por virtude de seu sangue"* (Ap 1,5).

Por nosso amor parece que Deus odiou a si mesmo

Diz São Boaventura: *"Meu Deus, vós me amastes tanto, que, por amor a mim, parece que chegastes a odiar a vós mesmo"* (S. Bonav. in Stim. amor.). E depois ele quis que nos alimentássemos dele próprio na santa comunhão. E Santo Tomás, o Angélico, falando deste Ss. Sacramento, diz que Deus se humilhou conosco, como se fosse nosso servo, e como se cada um de nós fosse seu Deus: *"Como se fosse servo deles, e cada um deles fosse Deus de Deus"* (S. Thom. op. de sacr. Euch.).

O amor de Cristo obriga-nos a amá-lo

O Apóstolo diz: *"O amor de Cristo nos constrange"* (2Cor 5,14). No dizer de São

Paulo, o amor de Jesus Cristo por nós obriga--nos, força-nos de certo modo a amá-lo. Ó Deus, o que não fazem os seres humanos por amor a qualquer criatura, quando lhe dedicam afeto? E, depois, como se ama tão pouco a um Deus de infinita bondade, de infinita beleza, que chegou a morrer numa cruz por cada um de nós? Imitemos todos o Apóstolo que dizia: *"Quanto a mim, não pretendo jamais gloriar-me a não ser na cruz de nosso Senhor Jesus Cristo"* (Gl 6,14). O Apóstolo dizia: E que maior glória posso eu esperar no mundo do que ter tido um Deus que, por amor a mim, deu o sangue e a vida? E isso deve dizer toda a pessoa humana que tem fé; e, se tem fé, como poderá amar outra coisa, a não ser Deus? Ó Deus, como é possível que uma alma, contemplando Jesus crucificado, que, preso por três cravos, pende de suas próprias chagas das mãos e dos pés, e morre de pura dor por nosso amor, não se vê forçada e quase obrigada a amá-lo com todas as forças?

4. TERCEIRO MEIO PARA CHEGAR AO PERFEITO AMOR DE DEUS: CONFORMAR-SE EM TUDO COM A VONTADE DIVINA

A vontade de Deus em primeiro lugar

Diz São Bernardo que o perfeito amante de Deus *"não pode querer senão o que Deus quer"* (S. Bernardo Sermo ad Fratr.). Muitos dizem com a boca estar resignados com aquilo que Deus quer; mas depois, quando lhes advém alguma contrariedade, alguma enfermidade desagradável, não conseguem ficar em paz. Não fazem assim as almas verdadeiramente conformadas; elas dizem: *"Assim agrada"* ou *"Assim agradou ao amado"*, e logo se acalmam. *"Para o santo amor todas as coisas são doces"*, diz São Boaventura. Sabem estas almas que tudo o que acontece no mundo acontece por vontade ou permissão de Deus; e, por isso, abaixam humildemente a cabeça por tudo o que acontece e vivem contentes com quanto o Senhor dispõe. E, muitas vezes, ainda que Deus não queira que os outros nos persigam e nos façam mal, quer, porém, por motivos justos, que soframos pacientemente aquela perseguição, aquele dano que nos desagrada.

Dizia Santa Catarina de Gênova: "*Se Deus me tivesse colocado no fundo do inferno, mesmo assim direi: é bom estarmos aqui. Direi: basta-me que aqui me encontro por vontade do amado, que me ama mais do que todos e sabe o que é melhor para mim*". Belo repousar é repousar na mão da vontade de Deus.

Que devo fazer, Senhor?

Diz Santa Teresa: "*Tudo o que deve procurar quem se exercita na oração é conformar sua vontade com a vontade divina, no que consiste a mais alta perfeição*". Por isso, é preciso repetir sempre a Deus a oração de Davi: "*Ensinai-me a cumprir vossa vontade*" (cf. Sl 142,10): Senhor, já que me quereis salvo, ensinai-me a fazer sempre a vossa vontade. — O ato de amor mais perfeito que uma alma pode fazer a Deus é aquele que fez São Paulo, quando se converteu e disse: *"O que hei de fazer, Senhor?"* (At 22,10). Senhor, dizei-me o que quereis de mim, que eu estou pronto a fazê-lo; vale mais este ato do que mil jejuns e mil penitências. Esta deveria ser a mira de todas as nossas obras, desejos e preces: fazer a vontade de Deus. Nisto devemos pedir à nossa divina Mãe, aos santos protetores e aos nossos anjos da guarda que nos consigam a graça de cumprir a vontade de Deus. E quando nos ocorrerem coisas contrárias ao nosso amor próprio, então com um ato de resignação se ganham tesouros de merecimentos; comecemos então a repetir aquelas palavras que Jesus mesmo nos ensinou com seu exemplo: *"Será que não devo beber o cálice que o Pai me deu?"* (Jo 18,11). Ou ainda: *"Sim, Pai, porque assim foi de teu agrado"* (Mt 11,26). Senhor, assim vos agradou, assim agrada também a mim. Ou digamos também com o piedoso Jó: *"O Senhor deu, o Senhor tirou, bendito seja o nome do Senhor"* (Jó 1,21). Dizia o Venerável Mestre d'Ávila que "vale mais um *bendito seja Deus* na desgraça do que mil agradecimentos na prosperidade". E aqui é preciso repetir como acima: belo repousar é repousar na mão da vontade de Deus, porque então se terá a palavra do Espírito Santo: *"Ao justo não acontecerá infortúnio algum"* (Pr 12,21).

5. QUARTO MEIO PARA ENAMORAR-SE DE DEUS: A ORAÇÃO MENTAL

Precisa considerar as verdades eternas

As verdades eternas não se veem com os olhos de carne, como se contemplam as coisas visíveis desta terra, mas se veem somente com o pensamento, com a meditação; daí que, se não nos firmamos por algum tempo em considerar as verdades eternas, especialmente a obrigação de amar o nosso Deus, pelo tanto que ele merece, por tantos benefícios que nos fez e pelo amor que nos demonstrou, dificilmente uma alma se liberta do afeto às criaturas e coloca todo o seu amor em Deus. Na oração, o Senhor faz conhecer toda a baixeza das coisas terrenas e o valor dos bens celestiais; e aí inflama com seu amor aqueles corações que não resistem aos seus chamados.

Muitas almas depois lamentam que vão à oração e não encontram Deus; não encontram Deus porque vão com o coração cheio de terra. *"Separe o coração das criaturas* — diz Santa Teresa — *e procure a Deus, que você o encontrará"*. O Senhor é todo bondade com quem o procura: *"O Senhor é bom... para a alma que o busca"* (Lm 3,25). Portanto, para encontrar Deus na oração, é preciso que a alma se despoje do apego às coisas da terra, e então Deus lhe falará: *"Eu a conduzirei ao deserto e lhe falarei ao coração"* (Os 2,16). Mas, para encontrar Deus, adverte São Gregório, não basta ter a solidão do corpo; é necessária também a do coração. Disse um dia o Senhor a Santa Teresa: *"De boa vontade eu falaria a muitas almas. Mas o mundo faz tanto barulho em seu coração, que a minha voz não pode ser ouvida"*. Ah! que quando se põe na oração uma alma desapegada, Deus bem lhe fala e a faz conhecer o amor que lhe tem; e a alma, então, diz um autor, ardendo de santo amor, não fala; mas, naquele silêncio, quanta coisa diz: *"O silêncio da caridade,* escreve esse autor, *fala mais a Deus do que toda a eloquência humana; cada suspiro mostra todo o seu interior"*. Então não se cansa de repetir: *"O meu amado é todo meu, e eu sou dele"* (Ct 2,16).

6. QUINTO MEIO PARA CHEGAR A UM GRAU EMINENTE DO AMOR DIVINO: A ORAÇÃO

A oração nos faz ricos

Nós somos pobres de tudo, mas, se rezamos, somos ricos de tudo, pois Deus prometeu ouvir todo aquele que lhe pede. Ele diz: *"Pedi e será dado"* (Mt 7,7). Que maior afeto pode demonstrar um amigo a outro do que lhe dizer: Peça-me o que você quer e eu lhe darei? Isto diz o Senhor a cada um de nós. Deus é o Senhor de tudo; promete dar quanto lhe for pedido; portanto, se somos pobres, é culpa nossa, porque não lhe pedimos as graças de que necessitamos. Por isso, a oração mental é moralmente necessária a todos, porque, fora da oração, quando estamos envolvidos nas preocupações do mundo, pouco pensamos na alma; todavia, quando nos lançamos à oração, vemos as necessidades de nossa alma e, então, pedimos as graças e as conseguimos.

Os santos foram homens e mulheres de oração

Toda a vida dos santos foi vida de oração e de preces. E todas as graças com que se tornaram santos, foi com as preces que as receberam. Portanto, se queremos salvar-nos e fazer-nos santos, devemos estar sempre às portas da misericórdia divina, a rezar e a pedir por esmola tudo do que necessitamos. Precisamos da humildade, peçamo-la e seremos humildes; precisamos da paciência nas tribulações, peçamo-la e seremos pacientes; descjamos o amor de Deus, peçamo-lo e o obteremos. "*Pedi e será dado*", é promessa de Deus que não pode falhar. E Jesus Cristo, para nos dar maior confiança no pedir, prometeu-nos que todas as graças que pedirmos ao Pai, em seu nome e pelos seus méritos, o Pai nos dará: "*Em verdade, em verdade vos digo: se pedirdes ao Pai alguma coisa em meu nome, ele vo-la dará*" (Jo 16,23). Em outro lugar disse: "*Se me pedirdes alguma coisa em meu nome, eu o farei"* (Jo 14,14). Sim, porque é de fé que quanto pode Deus, tanto pode Jesus Cristo, que é seu Filho.

Não podemos ficar insensíveis ao amor de Jesus Cristo

Seja uma alma fria no amor de Deus o quanto quiser, se esta tem fé, eu não sei como possa não se ver impelida a amar Jesus Cristo, considerando ainda que de passagem o que dizem as Sagradas Escrituras do amor que nos demonstrou Jesus Cristo na sua Paixão e no Ss. Sacramento do altar. — Quanto à Paixão, escreve Isaías: *"Foi ele que carregou as nossas enfermidades e tomou sobre si as nossas dores"* (Is 53,4). E no versículo seguinte escreveu: *"Ele foi transpassado por causa das nossas rebeldias, esmagado por causa de nossos crimes"* (Is 53,5). Pelo que é de fé que Jesus Cristo quis sofrer sobre si as penas e as dores, para delas libertar a nós, aos quais eram devidas. E por que fez isso, se não pelo amor com que nos amou? *"Cristo nos amou e se entregou por nós"*, assim diz São Paulo (cf Ef 5,2). E São João diz: *"Àquele que nos ama e que nos salvou de nossos pecados por virtude de seu sangue"* (Ap 1,5). — Quanto ao Sacramento eucarístico, disse o próprio Jesus a todos nós, quando o instituiu: *"Tomai e comei, isto é o meu corpo"* (Mt 26,26). E em outro lugar: *"Quem come minha carne e bebe meu sangue permanece em mim e eu nele"* (Jo 6,56). Uma pessoa humana que tem fé, como pode ler isto e não se sentir quase forçado a amar este Redentor que, depois de ter sacrificado o sangue e a vida pelo seu amor, deixou-lhe o seu corpo no Sacramento do altar, para ser alimento de sua alma e se unir todo com ela na santa comunhão?

Jesus Cristo não quer compaixão mas o nosso amor

Acrescentemos outra breve reflexão sobre a Paixão de Jesus Cristo. Ele se faz ver sobre uma cruz, trespassado por três cravos, sangrando para todos os lados e agoniza entre as dores da morte. Pergunto: Por que Jesus se deixa olhar por nós em estado assim tão lastimável? Talvez apenas para nos compadecermos dele? Não, não tanto para que nos compadeçamos dele, mas para ser amado por nós é que ele se reduziu a tão mísero estado. Para cada um de nós devia ser motivo mais que suficiente para amá-lo o ter-nos feito saber que nos ama desde a eternidade: *"Eu te amei com um amor eterno"* (Jr 31,3). Contudo, vendo o Senhor que isto não bastava à nossa frieza, para mover-nos a amá-lo como desejava, quis demonstrar-nos praticamente, assim com os fatos, o amor que tinha por nós, fazendo-se ver, cheio de chagas, a morrer de dor por nosso amor, para fazer-nos entender com seus sofrimentos o amor imenso e terno que conserva por nós. Isto bem o explicou São Paulo com aquelas palavras: *"Ele nos amou e se entregou por nós"* (cf. Ef 5,2).

7. ORAÇÕES

Oração de Boaventura a Jesus crucificado para obter o seu santo amor

Feri, meu dulcíssimo Jesus, o íntimo da minha alma com o doce dardo do vosso amor, para que eu sempre desfaleça e me derreta de amor por vós e de desejo de vós; e, por isso, desejo sair desta vida para ir unir-me perfeitamente convosco na eternidade. Fazei que a minha alma tenha sempre sede de vós, sempre vos procure, só a vós fale, encontre-vos outra vez e tudo faça para a vossa glória. Fazei que o meu coração esteja sempre fixo em vós, que sois a minha única esperança, a minha riqueza, a minha paz, o meu refúgio, a minha herança, o meu tesouro.

Oração a Maria Santíssima para que nos impetre o amor a Jesus e a boa morte

Ó Maria, vós tanto desejais ver Jesus amado, obtende-me a graça de amá-lo muito e de não amar outra coisa senão a ele. Senhora minha, vós conseguis tudo o que quereis deste Filho: intercedei por mim e consolai-me. Impetrai-me ainda um grande amor para convosco, que sois a dileta de Deus. E, pela dor que sofrestes no Calvário, vendo Jesus morrer na cruz diante dos vossos olhos, impetrai-me uma boa morte, para que, amando nesta terra a Jesus e a vós, minha Mãe, venha a amar-vos eternamente no paraíso.

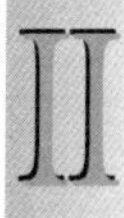

II

A VONTADE DE DEUS

Este texto, *"Uniformità alla volontà di Dio"*
foi publicado pela primeira vez em 1755,
num mesmo volume com a 6ª edição napolitana das
"Visitas ao Santíssimo Sacramento".
Já teve no passado mais de 400 edições
em várias línguas.

1. O CAMINHO DA SANTIDADE

O mais importante é fazer a vontade de Deus

Toda perfeição ou santidade consiste no amor a Deus, segundo afirma o apóstolo Paulo: *"Mas, acima de tudo, revesti-vos da caridade, que é o vínculo da perfeição"* (Cl 3,14).

Entretanto, toda a perfeição do amor consiste em conformar nossa vontade com a de Deus, porque, no dizer de São Dionísio Aeropagita, *"o efeito principal do amor é unir as vontades dos que se amam de maneira que tenham uma só vontade"*.

Por isso, tanto mais o cristão amará a Deus, quanto mais seu coração estiver unido à divina e soberana vontade de Deus.

Não há dúvida de que agradam a Deus nossos sacrifícios, renúncias e meditações, obras de misericórdia, exercícios de piedade, contanto que tudo isso esteja de acordo com a sábia vontade do Senhor. Caso contrário, Deus os reprova e são merecedores de castigo. Se nossas obras e atividades não se realizam segundo o agrado divino, como poderiam agradar a Deus?

Nossos sacrifícios lhe agradam, se fazemos sua vontade.

É o que deduzimos das palavras do profeta Samuel: "*O Senhor quer holocaustos e sacrifícios pacíficos ou quer obediência à sua voz? Eis que a obediência vale mais que o sacrifício*" (1Sm 15,22).

O homem que deseja agir por conta própria, com independência total, comete uma espécie de idolatria, porque neste caso adora sua própria vontade, não a vontade de Deus.

O exemplo de Jesus

Pode-se dizer seguramente que a maior glória que se dá a Deus é cumprir em tudo sua vontade. Cristo, descendo do céu, veio, com seu exemplo, buscar a glória de Deus. Entrando neste mundo, Cristo se expressou deste modo: "*Não quiseste sacrifícios nem oblações, mas me preparaste um corpo... Então eu disse: Eis-me aqui, venho para fazer, ó Deus, a tua vontade"* (Hb 10,5-7). Deus recusou, então, as vítimas que os homens lhe ofereciam. Ele queria outra vítima; essa vítima era o Cristo.

Quantas vezes Cristo afirma, no Evangelho, que veio a este mundo para fazer a vontade do Pai: *"Desci do céu não para fazer a minha vontade, mas a vontade de quem me enviou"* (Jo 6,38).

E para que o mundo entendesse seu amor imenso ao Pai, Cristo, para cumprir a vontade divina, ofereceu-se a sofrer a morte de cruz para salvar todos os homens. Foi precisamente isto que ele disse quando estava orando no jardim das Oliveiras, e vieram seus inimigos para prendê-lo e conduzi-lo à morte: *"O mundo deve saber que amo o Pai e faço como o Pai me ordenou. Levantai-vos e vamos embora daqui!"* (Jo 14,31).

E disse também que somente reconheceria como seus seguidores os que fazem a vontade de Deus: *"Porque todo aquele que fizer a vontade do Pai, que está nos céus, este é meu irmão e irmã e minha mãe"* (Mt 12,50).

O exemplo dos santos

Todos os santos, convencidos que nisto se resume a perfeição cristã, puseram todo seu cuidado e empenho em identificar sua vontade com a de Deus.

Dizia o bem-aventurado Henrique Suso que *"Deus não exige de nós que tenhamos muitas ideias luminosas, mas que façamos sua vontade"*. E Santa Teresa acrescenta: *"Toda a aspiração de quem começa a orar deve ser esta: quero trabalhar, quero me esforçar para em tudo conformar minha vontade com a vontade do Pai. Nisto consiste a maior perfeição que se pode alcançar no caminho espiritual. Quem conseguir isto de modo mais perfeito, mais receberá do Senhor e mais progresso fará neste caminho"* (Moradas, 2).

Prefiro ser o mais desprezível verme da terra por vontade de Deus a ser um anjo do céu por minha própria vontade" (Henrique Suso).

As almas que gozam da glória de Deus são aquelas que neste mundo estiveram intimamente unidas à vontade do Senhor (Estefânia de Soncino).

Enquanto peregrinamos, vamos aprender dos santos do céu amar a Deus.

O amor puro e perfeito que os bem-aventurados têm na glória os inclina a se conformarem em tudo com a vontade do Senhor. Se os anjos achassem que era da vontade de Deus que eles passassem toda uma eternidade ajuntando a areia da praia do mar, sem dúvida eles colocariam nessa ocupação todo seu prazer e contentamento. Mais ainda: se Deus lhes manifestasse que era de seu agrado que eles se lançassem ao fogo do inferno, eles o fariam imediatamente. Por isso, Jesus nos ensinou a pedir a graça de fazer sua vontade na terra, como o fazem os santos no céu: *"Seja feita tua vontade assim na terra, como no céu"* (Mt 6,10).

Exemplos na Bíblia

O Senhor chamou a Davi, homem segundo seu coração, porque executava o que entendia ser do agrado de Deus: *"Achei Davi, filho de Jessé, homem segundo meu coração, que, em tudo, fará minha vontade"* (At 13,22).

Com efeito, o piedoso rei Davi estava sempre disposto a seguir a vontade divina, como se lê num de seus salmos: *"Ensina-me a cumprir tua vontade, pois tu és meu Deus"* (Sl 143,10).

Um só ato de perfeita conformidade com a vontade de Deus basta para santificar uma alma.

Quando Saulo perseguia os cristãos, Cristo o iluminou e o converteu. Para se converter, o que fez Saulo? O que disse? Nada mais nada menos que fazer a vontade de Deus.

Esta foi sua pergunta: *"O que hei de fazer, Senhor?"* (At 22,10).

E, naquele mesmo instante, Jesus Cristo o proclamou vaso de eleição e apóstolo dos gentios, testemunha diante de todos os homens, acerca do que viu e ouviu (cf. At 22,15).

Nossa vontade seja a vontade de Deus

Quem entrega a Deus sua vontade se lhe dá totalmente, todo inteiro.

Quem dá esmolas entrega ao Senhor parte de seus bens; quem se sacrifica lhe dá um pedaço de si próprio; quem pratica o jejum oferece seu alimento; mas aquele que lhe oferece sua vontade se consagra totalmente a Deus. Não reserva nada para si.

Então, pode verdadeiramente dizer a Deus: Meu Deus e meu Senhor, sou pobre, mas eu vos dou tudo o que tenho, tudo o que sou, porque, dando-vos minha vontade, nada mais me sobra para vos dar.

É precisamente isto que o Senhor nos pede quando nos diz: *"Dá-me, ó filho, teu coração"* (Pr 23,26), isto é, tua vontade.

O grande Santo Agostinho nos lembra de que não podemos fazer oferenda mais agradável a Deus do que lhe dizer: *"Tomai, Senhor, posse de mim; eu vos dou toda a minha vontade; dai-me entender o que quereis de mim e dai-me disponibilidade para realizá-lo"*.

Se queremos realizar os desejos do Coração de Jesus, procuremos, em tudo, conformar-nos com sua vontade amorosa; não só nos conformar, mas também identificar nossa vontade com a vontade de Deus. A identificação com a vontade de Deus exige mais; exige que da vontade de Deus e da nossa façamos uma só. O que Deus quer, eu quero; e a minha vontade seja a vontade de Deus...

Esta é a mais alta perfeição a que podemos aspirar.

A este intento devemos endereçar todos os nossos desejos, nossas meditações e orações. Por este caminho andaram todos os santos, e principalmente Nossa Senhora, Rainha de todos os santos, porque é a mais perfeita que todos eles na sua união com a vontade de Deus.

2. O CAMINHO DA PAZ

Fazer a vontade de Deus na alegria e na tristeza

A perfeição dessa virtude exige que a nossa vontade esteja unida à vontade de Deus, tanto na prosperidade como na adversidade. Na alegria e na tristeza, no sucesso e no fracasso, na saúde e na doença.

Quando se trata de sucesso, de prosperidade, até os pecadores sabem aceitar gostosamente as disposições de Deus. Mas os santos sabem unir sua vontade aos desejos e projetos de Deus, mesmo que contrariem seu amor próprio.

É nas provações da vida que se avalia nossa virtude e se vê o valor de nossa perfeição. Pois mais vale um *"Muito obrigado, meu Deus"*, na adversidade, do que mil *"Graças a Deus"* na prosperidade (Bem-aventurado João de Ávila).

É preciso receber com amor e resignação cristã o que diretamente nos vem das mãos de Deus: enfermidades, desânimo, abatimento, pobreza, morte de amigos e parentes. Como também é preciso receber o que nos vem por meio das criaturas, da maldade dos homens: desprezos, calúnias, injustiças, perseguições de toda sorte.

Não devemos perder de vista o seguinte: quando alguém nos ofende na honra, fere nossa dignidade, rouba nossos bens, é claro que Deus não aprova o pecado, mas ele permite tudo isto para daí tirar um bem maior para os seus servos e amigos. E guarde bem isto: é certo, e de fé, que nada sucede no mundo senão por permissão de Deus.

Tudo nos vem de Deus

Deus nos fala pelo profeta Isaías: "*Eu sou o Senhor e não há outro. Eu formo a luz e crio as trevas, eu faço a ventura e crio a desgraça*" (Is 45,6-7).

Das mãos de Deus nos vêm todos os bens e todos os males, quer dizer, as coisas que nos aborrecem e que falsamente chamamos de infelicidade ou desgraça. Porque, na realidade, são bens quando as aceitamos como vindas por permissão de Deus. O profeta Amós pergunta: *"Se acontece uma desgraça na cidade, não foi o Senhor quem agiu?"* (Am 3,6).

Confira o que diz o autor do Eclesiástico: *"Os bens e os males, a vida e a morte, pobreza e riqueza vêm do Senhor"* (Eclo 11,14).

É evidente que, quando alguém nos ofende injustamente, Deus não quer, não aprova essa injustiça nem a maldade de sua vontade.

Há diversos exemplos, há muitas passagens na Sagrada Escritura que nos deixam perplexos e nos levam a perguntar: Por que Deus permite que caiam males e desgraças sobre indivíduos, cidades e nações?

Sem dúvida, são os pecados pessoais e sociais que provocam os castigos e a vingança de Deus. *"Ai da Assíria, vara de minha ira; o bastão que está em sua mão é a minha cólera. Contra uma nação ímpia o envio e contra o povo de minha indignação lhe dou ordens, para entregá-lo ao saque e à pilhagem, para pisá-lo aos pés como lama das ruas"* (Is 10,5-6). A impiedade dos assírios era como uma grande tocha de fogo nas mãos de Deus para castigar os israelitas.

O próprio Cristo disse a Pedro que sua Paixão e Morte não vinham tanto da maldade dos homens, como da permissão de seu Pai para libertar o mundo de seus pecados: *"Será que não devo beber o cálice que o Pai me deu?"* (Jo 18,11).

O cumprimento da vontade de Deus é a nossa felicidade

O cristão que se exercita na prática dessa virtude não somente se santifica, mas gozará na terra de uma paz imperturbável.

Perguntaram, um dia, a Afonso, o Grande, rei de Aragón (Espanha), príncipe muito sábio, quem, em sua opinião, seria o homem mais feliz do mundo. A resposta do rei espanhol não foi outra: "Aquele que se abandona à vontade de Deus e recebe do mesmo modo, com toda tranquilidade, as coisas alegres e tristes, as coisas prósperas e adversas". *"Nós sabemos que todas as coisas concorrem para o bem daqueles que amam a Deus"* (Rm 8,28).

Os que amam a Deus estão sempre felizes; vivem alegres. Por quê?

Porque colocam toda a sua alegria no cumprimento da vontade de Deus, mesmo que as coisas, acontecimentos, e até pessoas os contrariem, magoando e ferindo seu coração.

É assim que os trabalhos, as empresas mais difíceis se convertem para nós em puro contentamento, porque, aceitando tudo com boa vontade, damos alegria ao Senhor.

Quero somente o que Deus quer

Ensina o livro dos Provérbios: *"Ao justo não acontecerá infortúnio algum, mas os ímpios estão cheios de desgraça"* (Pr 12,21).

O homem, vendo que tudo lhe sai às mil maravilhas, experimenta no coração uma alegria sem limites. Ora, quando alguém quer somente o que Deus quer, consegue tudo quanto deseja, porque, excetuando o pecado, nada sucede no mundo contra a vontade de Deus. Disse alguém: "As pessoas que se esforçam por querer o que Deus quer são muitas vezes humilhadas, mas amam as humilhações; padecem pobreza, mas amam a pobreza, enfim, aceitam com amor o que lhes acontece e levam assim uma vida calma, tranquila e feliz".

Vem o frio, vem a chuva, vem o calor, vem o vento, o bom cristão aceita tudo por Deus, porque assim Deus o quer.

Deus dá, Deus tira

Quando o mensageiro foi anunciar ao santo patriarca Jó que os sabeus lhe tinham roubado seus bens, que todos os seus filhos estavam mortos, o que respondeu? Com grande sinceridade disse simplesmente: "*O Senhor deu, o Senhor tirou; bendito seja o nome do Senhor*" (Jó 1,21).

Não disse o santo homem de Deus: "O Senhor me deu os bens, e os sabeus me tiraram", mas simplesmente: "deu... tirou", porque sabia muito bem que a perda sofrida era conforme à permissão de Deus e, por isso, acrescentou: "Bendito seja o nome do Senhor".

Por isso é preciso olhar com "o olhar de Deus" as provações e tribulações que pesam sobre nós: não como fruto do azar ou do destino, mas como sinal da vontade de Deus.

Santo Agostinho gostava de dizer: "*Tudo o que acontece contra nossa vontade, devemos nos convencer de que sucede por vontade de Deus*". Quando os mártires eram torturados com unhas de ferro e seus corpos se tornavam chamas vivas, exclamavam com muita convicção: "*Cumpra-se em nós a santa vontade de Deus*".

A vontade de Deus produz a paz

Esta é aquela liberdade tão admirável de que gozam os filhos de Deus. Liberdade interior que vale mais que todos os tesouros e poderes do mundo dos homens.

Esta é aquela paz que experimentam os santos, todos os que estão na graça de Deus, *"paz de Deus, que excede toda inteligência"* (Fl 4,7); todos os prazeres dos sentidos, todas as festas e todos os banquetes, todas as honrarias e satisfações humanas são um nada diante desta paz profunda e maravilhosamente bela. Ah! os prazeres do mundo! No momento de desfrutá-los, agradam. Mas como são vãos, vazios, fúteis e passageiros, longe de matarem a sede, a ânsia de gozar esses deleites ou prazeres do mundo afligem nosso espírito criado para as coisas mais altas e sublimes. Por isso, já dizia o poderoso e sábio rei Salomão: *"E eis que tudo era ilusão e frustração..."* (Ecl 2,11).

O homem santo, diz a Bíblia, permanece na sabedoria como o sol, mas o insensato muda como a lua. O homem balofo, vazio, néscio, isto é, o pecador, é como a lua: hoje cheia, amanhã, minguante; hoje ri, amanhã, chora de remorso, de angústia e tristeza;

hoje, parece tranquilo e sereno, amanhã, furioso como tigre. E por quê? Porque seu contentamento depende das coisas boas ou más que lhe acontecem, e, por isso, mudam segundo sopram os ventos favoráveis ou contrários...

Mas o justo é como o sol, sempre igual, sempre sereno e tranquilo, porque sua paz está fundada na conformidade de sua vontade com a vontade de Deus. A alma que ama a Deus, que só quer o que Deus quer, jamais se perturba, ainda mesmo que lhe suceda algum imprevisto muito amargo! É como nos lembra o Espírito Santo: *"Ao justo não acontecerá infortúnio algum, mas os ímpios estão cheios de desgraça"* (Pr 12,21).

Paz plena e perene

Paz, que nos traz alegria. Alegria interior, que os filhos de Deus experimentam fazendo a vontade do Pai Celeste.

Os santos, conformando-se com a vontade divina, gozaram aqui na terra de um paraíso antecipado.

Os antigos eremitas, que viviam no deserto, na solidão total, diz São Doroteo, gozavam de uma paz inalterável, porque aceitavam todas as coisas como vindas das mãos de Deus. Santa Madalena de Pazzi, ao escutar as palavras "*vontade de Deus*", experimentava doçuras tão incríveis que entrava em êxtase de amor.

Como todo mortal, o cristão, é claro, sofrerá os golpes da adversidade, mas o seu coração estará firme; na sua alma reinarão a paz e a tranquilidade, que brotam da vontade mergulhada na vontade de Deus. É como diz o evangelista: "*Chorareis e vos lamentareis, mas o mundo se alegrará. Ficareis tristes, mas vossa tristeza se converterá em alegria*" (Jo 16,20).

O cristão que estiver identificado com a vontade de Deus gozará de uma paz plena e perene, porque nada, ninguém lhe poderá arrebatar essa alegria inefável e, por outro lado, ninguém no mundo poderá impedir que se cumpra na sua vida a vontade de Deus.

3. SEJA FEITA A VOSSA VONTADE

Aceitemos a vontade de Deus

Se aceitamos a vontade de Deus, todas as coisas se tornam fonte de paz e alegria. É uma loucura muito grande resistir à vontade de Deus.

Todos os homens, grandes e pequenos, ricos e pobres deverão carregar sua cruz. Ninguém pode impedir que se cumpram os decretos divinos: *"Quem pode resistir à sua vontade?"*, pergunta São Paulo (Rm 9,19).

Os que carregam sua cruz, cheios de revolta, sem amor, terão neste mundo uma vida inquieta, vazia, e na outra terão sofrimentos maiores. É o que se lê no livro de Jó: *"Sábio é seu coração, poderosa é sua força; quem pode resistir-lhe e ficar impune?"* (Jó 9,4).

Que vantagem terá o enfermo em desesperar-se em suas dores? Que adianta ao pobre lamentar-se, queixar-se e revoltar-se contra Deus em sua pobreza?

"Que busca você, ó homem — dizia Santo Agostinho —, *buscando bens e mais bens? Ame e busque o único bem verdadeiro, no qual estão todos os bens. Busque Deus, entregue-se a ele e abrace a sua santa vontade, e você viverá sempre feliz, nesta e na outra vida".*

Deus só quer nosso bem, nossa felicidade

Que quer Deus senão nossa felicidade? Poderemos encontrar um amigo que nos ame mais que Deus?

Todo o empenho, todo o desejo do Senhor é que ninguém se perca, mas que todos se salvem e se façam santos. É o que nos lembra Pedro: *"O Senhor não retarda o cumprimento de sua promessa, como alguns pensam, mas usa de paciência para convosco. Não deseja que alguém pereça. Ao contrário, quer que todos se arrependam"* (2Pd 3,9). Arrepender-se é converter-se e salvar-se! E São Paulo acrescenta: *"A vontade de Deus é esta: a vossa santificação"* (1Ts 4,3).

O Senhor empenhou sua palavra em nos fazer felizes, sendo ele por natureza a bondade infinita, e, sendo próprio da bondade comunicar-se a outros, ele só deseja fazer-nos participantes de seus bens e de sua eterna e infinita felicidade.

Se envia tribulações nesta vida, todas são para o nosso bem, como afirma São Paulo: *"Todas as coisas concorrem para o bem daqueles que amam a Deus"* (Rm 8,28).

Mesmo os castigos que nos envia não são para nossa perdição, mas para que nos emendemos e alcancemos a bem-aventurança eterna. Veja o livro de Judite: *"É antes para advertência, que o Senhor açoita os que dele se aproximam"* (Jt 8,27).

O Senhor livra seus amigos dos males eternos: *"Tu, senhor, abençoas o justo, e teu favor protege-o como um escudo"* (Sl 5,13). Deus não somente deseja, mas se desdobra em amor misericordioso e eterno, oferecendo-nos a salvação em Jesus Cristo pela Igreja. Depois que nos deu seu próprio Filho, poderá negar-nos alguma coisa? *"Se Deus é por nós, quem será contra nós?"* (Rm 8,31).

Podemos confiar no amor de Deus

Com muita confiança, podemos e devemos abandonar-nos nas mãos da Divina Providência. Com segurança e amor, todas as disposições e intenções de Deus objetivam nosso bem no tempo e na eternidade.

Por isso, em todos os sucessos e insucessos de nossa vida, digamos com o salmista: *"Em paz me deito e logo adormeço, porque só tu, Senhor, me fazes viver em segurança"* (Sl 4,9). Abandonemo-nos em suas benditas mãos, porque certamente velará por nossos interesses, como ensinou São Pedro: *"Lançai sobre ele vossas preocupações porque cuida de vós"* (1Pd 5,7).

Pensemos sempre em Deus e em cumprir sua santa vontade, porque ele sempre pensa em nós, em nosso bem e felicidade. *"Olha, minha filha*, disse Cristo a Santa Catarina de Sena, *pensa sempre em mim, e eu pensarei sempre em ti"*.

Deus pensa em me fazer feliz, e eu não quero pensar em outra coisa, senão em lhe agradar e me conformar em tudo com a sua santa vontade.

Não devemos pedir a Deus que faça o que queremos, mas que façamos sempre o que ele quer (São Nilo).

Quando nos sobrevém alguma coisa que nos contraria, que nos machuca por dentro, vamos aceitá-la, não só com resignação, mas com alegria, a exemplo dos apóstolos: *"Eles se retiraram da presença do Sinédrio, contentes, por terem sido dignos de sofrer injúrias pelo nome de Jesus"* (At 5,41).

E que maior alegria pode experimentar uma alma ao saber que, sofrendo de bom grado alguma provação, está dando grande gosto a Deus?

Rezar para fazer a vontade de Deus

Se você quer ser agradável ao Senhor e levar neste mundo vida feliz e tranquila, procure estar unido, sempre e em todas as coisas, à vontade do Senhor.

Não se esqueça de que todos os pecados, desordens e angústias de sua vida passada têm por raiz e fundamento o fato de você se haver separado da vontade de Deus. Apegue-se, de hoje em diante, à vontade divina, e em tudo o que lhe acontece, reze com Jesus Cristo: *"Sim, Pai, porque assim foi de teu agrado"* (Mt 11,26).

Quando você se sentir perturbado por algum insucesso, lembre-se de que isso foi permitido por Deus e reze imediatamente: "Deus assim o quer!..." e "Seja feita a vontade de Deus".

Quando as provações, humilhações e depressões pesarem, que seu espírito cheio de humildade e de conformidade diga a Deus: *"Emudeço, não abro a boca"* (Sl 39,10).

A isto você deve orientar todos os seus pensamentos e orações, pedindo sempre ao Senhor, na meditação, na comunhão, na visita ao Santíssimo Sacramento, que tudo ajude você a cumprir a vontade de Deus. E, ao mesmo tempo, ofereça-se a Deus, dizendo: "Aqui me tendes, meu Deus, fazei de mim o que quiserdes!" Assim procedia Santa Teresa, oferecendo-se continuamente a Deus, muitas vezes ao dia, para que dispusesse dela como melhor lhe parecesse.

Quando a morte chegar

Feliz é você, querido amigo, se age assim! Você poderá estar seguro que alcançará alta e grande santidade e, depois de levar uma vida feliz, terá uma morte ditosa.

Quando alguém passa desta vida para a eternidade, a grande esperança que deixa de sua predestinação, de sua salvação eterna, é verificar que morreu conformado com a vontade de Deus.

O cristão que, durante toda a sua vida, recebeu todas as coisas, boas e más, como vindas das mãos de Deus, também as aceitará na hora da morte e, então, certamente se salvará e morrerá como santo.

Abandonemo-nos, pois, ao querer e ao beneplácito de Deus, porque, sendo ele infinitamente sábio, sabe melhor do que nós o que nos convém e serve para nossa eterna felicidade.

Deus que em Cristo nos amou, nascendo, vivendo, morrendo e ressuscitando por nós, sempre deseja para nós o maior bem possível. Estamos certos e firmemente convencidos, diz São Basílio, de que Deus se preocupa mais com a nossa felicidade do que nós mesmos podemos pretender e desejar.

4. ASSIM NA TERRA COMO NO CÉU

O cristão diante da natureza no dia a dia

Em primeiro lugar, devemos superar, com coragem e resignação evangélica, os trabalhos, os fenômenos e surpresas da natureza: muito calor, inverno rigoroso, tempestades, seca duradoura, enchentes, enfim, as intempéries do tempo.

Nesses casos, que estão fora da nossa vontade, não adianta reclamar e dizer: Que calor insuportável! Que frio horrível! Que calamidade! Que desgraça! Que tempo chato e outras expressões e desabafos, que não resolvem nada. Será que tudo isso não denota falta de amor e de aceitação da vontade de Deus? Não é ele o autor da natureza? Devemos admitir as coisas como acontecem, porque o Senhor as dispõe como lhe apraz.

São Francisco de Borja chegou, uma noite, a um convento dos padres jesuítas. Lá fora a neve caía fortemente castigando o santo... Bateu à porta por diversas vezes. E a comunidade dormia tranquila aquele sono dos justos. No dia seguinte, os padres encontraram o pobre santo todo coberto de neve. Não morreu porque não tinha chegado a hora. Os padres lhe pediram mil perdões, mas o santo retrucou, calmamente, dizendo que durante toda a noite havia experimentado uma alegria muito profunda ao pensar que Deus lhe estava atirando aqueles flocos de neve!

Nas provações diretas que a vida traz

Devemos também nos conformar com a vontade do Senhor quando padecemos algo em nossa própria pessoa, como: fome, sede, pobreza, desonras e desolação interior, desemprego e tentações inquietantes.

Nessas circunstâncias terríveis e dolorosas, nosso lema deve ser este: "Que o Senhor faça e disponha em mim, como lhe aprouver; somente quero o que ele quer e, apesar das sombras, quero lhe ser fiel, estarei sempre contente!"

Disse o Pe. Rodrigues, piedoso sacerdote da Companhia de Jesus: quando o demônio nos inquietar com algumas tentações, procurando nos levar ao pecado, devemos responder com um ato de adesão à vontade de Deus. Deus permite a tentação, mas o bom Deus não permite que sejamos tentados acima de nossas forças, como ensina São Paulo.

Diante dos defeitos naturais

Não devemos lamentar-nos de nossa vida, quando nos sentimos carregados de defeitos de corpo e alma. Por exemplo: memória fraca, esquecimento, pouca inteligência, falta de agilidade mental, saúde precária, pouca audição, vista fraca, até mesmo defeitos físicos notórios, que nos deprimem e humilham.

Temos merecido, ou Deus estaria obrigado a dar-nos entendimento mais lúcido ou corpo bem formado? Deus não é livre para dotar como quer os seres que ele cria? Quem, ao receber algum presente, algum dom, põe condições para aceitá-lo?

Demos graças a Deus pelos dons recebidos de sua bondade infinita e contentemo-

-nos com os bens espirituais e materiais recebidos. Quem sabe, se tendo talento mais claro ou saúde mais robusta ou rosto mais bonito, isso tudo não nos levaria à perdição eterna? Quanta gente de muito talento e vastíssima cultura se perdeu para sempre! A quantos a beleza física e a saúde de ferro fizeram cair em mil tentações!

E, ao contrário, quantos que, por serem pobres, deficientes físicos, destituídos de bens intelectuais, doentes, se santificaram, salvaram-se, são felizes eternamente no céu!

Não é a riqueza que nos salva, nem a formosura, nem a saúde, mas a graça que nos mereceu o Santíssimo Redentor, morto e ressuscitado.

Tenhamos, pois, a sabedoria de contentar-nos com aquilo que Deus nos dá, porque, como disse Nosso Senhor a Marta: *"Entretanto, uma só coisa é necessária"* (Lc 10,42), isto é, a nossa salvação eterna; não a beleza, não a saúde, não o talento.

Diante das enfermidades

De modo especial, devemos nos conformar com a vontade de Deus, quando as doenças nos visitam. Como? Recebendo-as com tranquilidade, não como um mal, mas como provas e visitas de Deus.

Claro que podemos e devemos tomar os remédios ordinários, pois também isto é vontade de Deus. Se os medicamentos não produzem o efeito esperado, conformemo-nos com seu divino querer, porque isso nos será de mais proveito que a própria saúde. Nesses casos, eis aqui o que devemos dizer ao Senhor: "Meu Deus, na doença e na saúde, nada desejo senão fazer a vossa vontade!"

Ainda que seja mais perfeito não se queixar na enfermidade das dores que nos atingem, entretanto, não é defeito nem falta abrir-se com os amigos e pedir a Deus que nos liberte desses males, mormente quando a doença é grave, golpeia-nos e martiriza.

Repito: estou falando aqui dos grandes padecimentos que nos afligem, porque é sinal de muita fraqueza e imperfeição queixar-se, ficar o dia inteiro lamentando-se e exigir que todo o mundo se compadeça de nós.

Temos o exemplo de Jesus Cristo que, ao começar sua Paixão, revelou sua angústia aos discípulos, dizendo: *"Minha alma está triste até à morte"* (Mt 26,38). Logo, porém, conformou-se, entregando-se à vontade de

Deus: *"Contudo não se faça como eu quero, mas como tu queres"* (Mt 26,39). Cristo nos ensina aqui que, depois de rezar ao Senhor, devemos nos resignar logo à vontade divina, que é sábia e santa.

Para servir melhor a Cristo

Pessoas há que se iludem desejando a saúde, dizem, não para evitar o sofrimento, mas para servir melhor a Cristo; para observar com mais perfeição a Regra da vida; para servir com mais fervor à Comunidade; para ir à Igreja e comungar; para fazer penitência; para empenhar-se nos ministérios da salvação do próximo; para evangelizar e ministrar os sacramentos da Igreja...

Mas... digam: por que vocês desejam todas essas coisas? Para agradar a Deus? Deus, agora, não quer suas rezas, nem sua penitência, nem seus estudos, nem sua pregação, mas que com paciência e amor vocês fiquem no seu leito de dor, fazendo a von-tade dele. Unam então seus sofrimentos aos de Jesus.

Vem outro e me diz: o que me desagrada é que, estando doente, sou carga pesada para a comunidade e me torno um peso para a família... E eu respondo ao amigo que seria um peso se estivesse doente por própria escolha.

Quantas vezes acontece que nossas queixas e nossos lamentos não nascem do amor a Deus, mas do nosso amor próprio! Egoísmo que busca pretextos para subtrair-se à vontade do Senhor.

Se realmente queremos dar gosto a Deus, quando nos achamos pregados no leito de dor, digamos-lhe estas palavras: "Faça-se a vossa vontade!" E estas palavras sejam repetidas mil vezes, sempre, sempre, pois com elas daremos mais gosto a Deus do que com todas as renúncias e penitências que possamos fazer.

Não encontraremos melhor maneira de servir a Nosso Senhor Jesus Cristo do que abraçando alegremente sua santa e amável vontade.

Sofrimento também é serviço a Deus

O bem-aventurado Pe. João de Ávila, escrevendo a um sacerdote muito doente, diz: *"Não considere, meu amigo, o que você faria se estivesse com saúde, mas quanto agradará ao Senhor aceitando com amor sua enfermidade"*.

E continua: *"E se você busca, como espero, a vontade de Deus, então, tanto faz estar doente ou gozando saúde de ferro, pois a vontade de Deus é o único bem que se deve procurar nesta vida"*.

Tanto é assim, que eu afirmo categoricamente: Deus é mais glorificado pela aceitação de sua vontade do que pelas nossas obras, mesmo as mais brilhantes. Por isso dizia São Francisco de Sales: *"Mais se serve a Deus sofrendo que realizando obras e mais obras"*.

Às vezes, não temos nem médico nem remédios; ou então o médico não descobre nossas doenças, não receita os remédios adequados. Tudo bem; nisto devemos também nos conformar com a vontade de Deus, que dispõe assim as coisas para nosso bem e proveito espiritual.

Orar com humildade

Estando enfermo um devoto de Santo Tomás de Cantuária, dirigiu-se ao túmulo do santo para rezar. Pediu-lhe saúde, muita saúde para trabalhar pela família. Ao regressar à sua cidade, voltou curado, mas, entrando em si, disse: para que quero tanta saúde se a enfermidade talvez me ajudasse mais a ganhar a salvação? Agitado com este pensamento, voltou à tumba do santo... E pediu que intercedesse junto de Deus para lhe dar o que fosse mais conveniente à salvação. Apenas terminou de rezar, caiu enfermo de novo. Mas ficou muito consolado, certo de que estava fazendo a vontade de Deus.

É isso. Quando a doença nos visita, longe de pedir a Deus saúde, nossa atitude cristã é abandonar-nos à vontade de Deus, para que disponha de nós como lhe agradar. Podemos pedir saúde; mas sempre com humildade, pois Deus sabe e quer o que mais nos convém.

A enfermidade prova nossa virtude

Eu acredito que a enfermidade é a pedra de toque dos espíritos, porque a seu contato se descobre a virtude, o valor que uma alma tem em si: Se ela suporta a provação sem perturbar-se, sem lamentar-se nem inquietar-se; se ela obedece ao médico e aos superiores; se permanece tranquila e resignada à vontade de Deus, é sinal que sua virtude é sólida.

Mas... que pensar de um doente que vive se lamentando o tempo todo, que se queixa dia e noite, dizendo que é mal assistido, que padece dores insuportáveis, que não acha alívio em suas dores, que o médico é um ignorante, que murmura contra Deus, pedindo a morte?

Que loucura tão grande é a daqueles que se opõem à vontade do Senhor! Porventura, com sua impaciência, tornam mais suportáveis os trabalhos, as tribulações, as provações que Deus nos envia?

Sempre devemos pedir a Nosso Senhor que nos ensine a fazer e que se faça em tudo sua divina e santa vontade. Como o pedia o santo rei Davi: "*Ensinai-me, Senhor, a fazer a vossa vontade*".

Um exemplo na vida de São Francisco de Assis

Refere São Boaventura, na vida de São Francisco, que estando um dia o santo sofrendo dores fora do comum, um de seus religiosos, alma simples, disse-lhe: "*Pai Francisco, rogue a Deus que alivie seus sofrimentos, que a mão do Senhor não lhe seja tão pesada!*"

Ouvindo isso, o santo, suspirando profundamente, exclamou: "*Saiba, meu irmão, que, se eu não estivesse ciente de sua extrema simplicidade de espírito, não gostaria de vê-lo mais em minha presença, porque você se atreveu a pôr a língua nos planos de Deus...*"

E imediatamente, ainda que muito fraco e extenuado pela enfermidade e pelas dores, beijou o chão, dizendo: "*Graças vos dou, Senhor, pelas dores que me enviais; podeis aumentá-las, se for do vosso agrado!*" E o santo ainda acrescentou: "*No cumprimento de vossa vontade, encontro o maior consolo de minha vida!...*"

Na perda de pessoas queridas

Do mesmo modo devemos nos comportar quando nos sobrevém a perda de alguma pessoa que nos é muito querida, muito útil ao nosso proveito espiritual ou temporal. Há almas piedosas que, neste particular, caem em mil defeitos: não aceitam a vontade de Deus. Revoltam-se. E que adianta?

Devemos nos persuadir que nossa santificação depende não dos nossos orientadores espirituais, mas de Deus, da ação da graça, da atuação do Espírito Santo. É certo que o Senhor deseja que nos sirvamos de um orientador em nossa vida espiritual. Mas, quando no-lo tira, então é hora de rezar com o santo Jó: *"O Senhor deu, o Senhor tirou; bendito seja o nome do Senhor"* (Jó 1,21).

A ausência de nossos amigos e conselheiros na caminhada para Deus será recompensada, largamente, pela presença maior do Espírito Santo, guia seguro e consolador das almas que se entregam ao cumprimento da vontade de Deus.

Aceitar todas as cruzes da vida

Com as mesmas disposições, devemos aceitar das mãos de Deus todas as demais cruzes que ele nos enviar para a nossa santificação.

Talvez você me pergunte: essas cruzes são castigos do Senhor? Não são castigos, são advertências do Senhor, são graças do céu.

Se magoamos nosso Senhor com nossos pecados, devemos satisfazer à sua divina justiça de alguma maneira, neste ou no outro mundo, agora ou depois da morte. Por isso, vamos dizer com Santo Agostinho: *"Senhor, agora podeis me queimar, cortar, castigar, mas perdoai-me na eternidade"*. E também com o patriarca Jó: *"Seria até um consolo para mim: torturado sem piedade, saltaria de gozo"* (Jó 6,10).

Na verdade, uma alma que mereceu o inferno deveria consolar-se diante das provações de Deus; tudo passa e também os sofrimentos desta vida são passageiros, purificadores e nos darão uma eternidade de delícias.

Nas desolações do espírito

Devemos também nos resignar à vontade de Deus nas desolações e securas espirituais. Quando uma alma se entrega à vida de justiça e santidade, o Senhor costuma mandar-lhe todo o gênero de sofrimentos e de desolações espirituais. Por quê? Para desprendê-la dos prazeres da vida. Para ver se o nosso amor é verdadeiro, desinteressado; para testar nossa fé e nossa fidelidade; para ver se procuramos "o Deus das consolações ou as consolações de Deus"...

"Você pensa, disse um dia Nosso Senhor a Santa Teresa, *que a vida espiritual tem merecimento pelas satisfações e com-*

pensações interiores? Ela se realiza, sim, no trabalho, no serviço, na dedicação e no amor". E a mesma santa acrescenta: "*Sei que o Senhor dá estes tormentos e permite outras muitas tentações para provar seus amigos e fiéis seguidores. E é por isso que ele tem poucos amigos e seguidores!...*"

Que a alma possa ser abençoada e favorecida com carícias e ternuras divinas, está bem. Mas que lhe seja agradecida! E não se aflija nem se impaciente quando for visitada por angústias e desolações! É importante, pois, ao servo de Deus estar de sobreaviso; não diga que Deus o abandonou, ou que a vida espiritual não é para ele quando se sente "sem fé", sem devoção, no deserto da aridez e da secura espiritual. Quantos cristãos, diante disso, abandonam a oração, perdendo assim todo o fruto de seu trabalho.

É próprio dos santos

Todos os santos sofreram desolações e aridez interior. "*Que duro está meu coração*, exclamava São Bernardo; *não tenho gosto nem para ler, não encontro consolo nem na oração nem na meditação*". Ordinariamente, os santos padeceram muitas securas espirituais e tiveram poucas alegrias interiores. Esses dons do Espírito Santo, Deus os concede de vez em quando a algumas almas de escol, receoso que abandonem a vida espiritual.

As verdadeiras alegrias, santas e ternas, ele as reserva para o céu. Esta terra é lugar de merecimento, ao passo que o paraíso é lugar de prêmio e descanso, de repouso no Senhor. Por essas razões, os santos, durante sua caminhada por este mundo, buscavam não seu próprio gosto e prazeres sensíveis, mas o fervor e a alegria do espírito que se encontra em sofrer por Deus e pelo seu reino. É como se expressava o bem-aventurado Pe. Ávila: *"Mais vale estar em constantes e duras provações, se o Senhor permite, que estar no céu sem seu beneplácito"*.

No aborrecimento e na tibieza

Entretanto você me diz: Se eu soubesse que tão grande tristeza de alma me vem da mão de Deus, eu a suportaria com galhardia, com coragem, com alegria até. Mas o que me aflige e acabrunha é pensar que tudo isto pode ser castigo de Deus para a minha tibieza e o meu relaxamento na vida cristã.

Respondo: pois bem, então você deve acabar com sua tibieza, com esse amor que não é "nem quente nem frio", e começar a ser mais diligente no serviço de Deus. Mas, para quem caiu no relaxamento religioso, inquietar-se e abandonar a oração não é saída honrosa e não leva a nada. O mal se duplicaria. Vamos supor que esse enjoo das coisas de Deus seja um castigo, como você diz. Se vem de Deus, você o mereceu por suas infidelidades.

O caminho, agora, é este: aceitar essa provação, conformar-se com a vontade de Deus, mas não abandonar a oração. Eu afirmo e reafirmo: reze e reze com muita con-fiança, ainda que você não sinta nenhum gosto na oração.

Deus experimenta e prova nossa fidelidade

É preciso saber que a secura espiritual nem sempre é um castigo. Acontece que, às vezes, Nosso Senhor permite que caiamos na aridez para nosso maior proveito espiritual e para nos conservarmos na humildade.

São Paulo apóstolo foi privilegiado de muitos dons do céu. Para que não caísse no pecado do orgulho, Deus permitiu que ele fosse horrivelmente atormentado com tentações impuras. Ele mesmo nos conta: *"E para que a grandeza das revelações não me levasse ao orgulho, foi-me dado um espinho na carne, um anjo de Satanás, que me esbofeteia e me livra do perigo da vaidade"* (2Cor 12,7).

Não é de se admirar se alguém faz oração quando nada em consolações e alegrias espirituais... Mas não esqueça o que o Espírito nos lembra: *"Há o amigo, companheiro de mesa, mas que não permanece tal no dia da aflição"* (Eclo 6,10).

É preciso perseverar na oração

Não há dúvida de que Deus experimenta seus servos e verdadeiros amigos com securas e desconsolos espirituais. Paládio padecia, na oração, angústias de morte. Comunicou a São Macário sua tristeza e este prontamente lhe disse: *"Quando lhe vem o pensamento ou a tentação de abandonar a oração, diga a si mesmo: Por amor de Jesus Cristo me alegro em estar aqui!"*.

Assim, devemos responder quando nos sentimos inclinados a deixar a oração, pensando que estamos perdendo tempo: "Eu estou aqui para dar gosto a Deus". Ensinava São Francisco de Sales que a nossa oração é sempre válida, ainda que passássemos todo o tempo afastando as distrações e resistindo às tentações...

O desgosto na oração faz-nos mais aplicados

Conta-se de alguém que dizia: "*Faz quarenta anos que sirvo ao Senhor e, nas minhas orações, nunca tive gosto nem consolo; mas quando rezo sinto-me forte; quando não rezo, não sirvo para nada*". Ter uma fé fervorosa, caridade ardente, rezar sempre, prosseguir a caminhada na busca de Deus, sem desfalecer, é graça do Espírito Santo.

São Boaventura lembra-nos de que há almas que servem a Deus com mais perfeição quando não conseguem o recolhimento desejado ou quando lhes parece que tudo vai mal; aí então se tornam, diante de Deus, mais diligentes e mais humildes.

Paciência mesmo nas tentações

O que disse sobre as securas de espírito, vale também para as tentações de cada dia, de cada hora. É óbvio que temos de evitar as tentações e a elas resistir.

No entanto, se é da vontade de Deus que sejamos tentados contra a fé, a providência divina, a castidade ou contra outros valores evangélicos, longe de nós a lamentação e o desânimo.

A São Paulo, que pedia a Deus o livrasse de tentações, veio a resposta: *"Basta minha graça"* (2Cor 12,9). Se alguma vez acontecer que nossa oração não seja logo atendida, digamos confiantemente: "Faça-se em mim, ó Deus, vossa vontade, baste-me vossa graça!" A tentação, em si, não é pecado; o importante é não aceitar, não deixar que ela entre em nós. E também não querermos nela entrar.

Até na hora da morte

Finalmente, devemos nos resignar à vontade de Deus quando a morte nos visitar... seja quanto ao tempo, ao lugar e ao modo.

Santa Gertrudes escalava uma colina muito íngreme. Distraidamente, escorregou e caiu num vale. Suas companheiras depois lhe perguntaram: "*A senhora não teve medo de morrer sem os sacramentos da Igreja?*" A santa respondeu: "*Quero sim receber os sacramentos antes de morrer; mas o mais importante para mim é aceitar a vontade de Deus; acho que essa é a melhor preparação para uma boa morte*".

Lemos nos diálogos de São Gregório que tendo os vândalos condenado à morte o sacerdote Santolo, deram-lhe a liberdade de escolher o gênero de suplício que mais lhe agradasse. O santo homem se recusou, dizendo: "*Estou nas mãos de Deus, disposto a sofrer a morte que ele me destinou por meio de vocês*". Inexplicavelmente, quando iam executá-lo, resolveram poupar-lhe a vida.

Então, quanto ao tipo de morte que nos está reservado, não vamos nos preocupar: aquela morte que Deus nos enviar, essa é a melhor. Cada vez que pensarmos na morte, digamos confiadamente: "Salvai-me, Senhor, e, depois, dai-me o tipo de morte que mais vos agradar!"...

Estar sempre disponível

Viver procurando fazer a vontade de Deus em todas as circunstâncias de nossa vida é sinal de grande sabedoria cristã. Quer na vida, quer na morte, quer no tempo, quer na eternidade, a minha felicidade está na realização da vontade divina. Assim procediam Jesus, Nossa Senhora e todos os santos.

Quando morrerei? Que ano, que mês, que dia, que hora? Deus sabe, e isso me basta! Que é esta terra, senão lugar de injustiças, opressões, maldades e incompreensões, onde se vive com perigo de perder a salvação a cada hora, a cada instante?

Refletindo sobre essas coisas, rezava o rei Davi: "*Tira-me desta prisão*" (Sl 142,8). Esse temor de perder a Deus obrigava Santa Teresa a suspirar pelo momento de sua morte e, quando ouvia os quartos de hora, consolava-se pensando: "*Bem, até aqui perseverei. Tudo passa, isso também passará*". Que é mais apreciável do que uma boa e santa morte, que nos consola na impossibilidade de perder a graça divina?

Talvez você diga: "*Mas morrer hoje, morrer agora? Nada de bom pratiquei até agora! Que merecimento tenho eu para levar para o céu?"* Mas, supondo que sua morte, hoje, agora, esteja nos planos de Deus, é vontade divina, que lucro você teria, vivendo mais tempo contra a vontade do Senhor? Quem lhe garante que, vivendo mais anos, você morreria santamente, teria uma morte mais tranquila e segura, mais feliz e santa? Por que desejar conservar uma vida na qual, quanto mais vivemos, mais pecamos? (São Bernardo). Digo ainda que não desejar o céu é manifestar sinal de pouco amor a Deus. Quem ama deseja a presença da pessoa amada. O amor requer presença. E como *"quem não morre não vê Deus"*, os santos suspiravam pela hora da morte libertadora para entrarem no paraíso. Santo Agostinho orava pedindo a salvação: *"Morra eu, meu Deus, para ir vos ver!"*... E São Paulo desabafando: *"De um lado desejo partir para estar com Cristo"* (Fl 1,23). E o profeta Davi, muitos séculos antes do Apóstolo, suspirava: *"Quando entrarei para ver a face de Deus?"* (Sl 42,3).

Assim falavam e rezavam todas as almas enamoradas do Senhor da vida.

Os bens espirituais

Esta é a ambição que você deve cultivar no coração: amar a Deus o máximo que puder. Todavia, não se deve desejar um grau de amor maior do que aquele que o Deus de amor determinou nos conceder desde toda a eternidade. Disse muito bem o bem-aventurado Pe. João de Ávila: *"Não creio que tenha existido um santo que não desejasse ser melhor do que era. Mas isso não lhe tirava a paz e estava sempre contente com os dons recebidos"*.

Por outro lado, sejamos diligentes e fervorosos em procurar nossa perfeição, usando todos os meios ao nosso alcance. Não devemos permitir jamais que a rotina e a tibieza invadam nossa vida espiritual e reli-giosa, dizendo: "Se Deus quiser, tudo vai dar certo"... "Deus é Pai, é misericordioso".

Mas também não nos devemos deixar levar pelo desânimo e arrastar fraquezas, sem fazer esforço algum para romper com o egoísmo e os pecados. Sem perder a coragem, o ânimo e a confiança em Deus, com humildade, paciência e firmeza, procure valer-se da oração e dos sacramentos, do Evangelho e da devoção a Nossa Senhora, prosseguindo a caminhada para o alto. Não perca tempo desejando coisas sublimes como êxtases, visões, revelações, arroubos e outros dons sobrenaturais; o que interessa é a graça da oração, o amor de Deus e o zelo pela salvação dos irmãos.

E se não for do agrado de Deus levar-nos a tão sublime grau de perfeição e glória, tudo bem; o mais importante é o cumprimento de sua vontade santa e santificadora.

CONCLUSÃO

Em suma, devemos olhar como vindas das mãos de Deus todas as coisas que nos sucedem ou nos podem atingir.

Todas as nossas ações sejam orientadas ao único fim de agradar a Nosso Senhor e de cumprir sua santa vontade. A vontade de Deus é o caminho mais seguro que nos leva à justiça e à santidade.

Para caminhar com passo seguro e firme por este caminho, deixemo-nos guiar por nossos superiores e pela direção caridosa e sensata de nosso conselheiro espiritual. Só por este caminho chegaremos a entender o que Deus quer de nós, dando crédito às palavras de Cristo: "*Quem vos ouve a mim ouve*" (Lc 10,16).

Esforcemo-nos por servir ao Senhor do modo que ele deseja. Digo isto para que evitemos um engano muito comum, engano e erro em que muitos estão ainda, perdendo lastimosamente seu tempo precioso, alimentando fantasias, pensamentos tolos e dizendo ainda:

"Se eu entrasse para o convento, para a vida religiosa, se me retirasse para um lugar solitário, fora de casa e longe dos amigos e dos parentes, eu me faria santo; eu me dedicaria mais à oração e à penitência!"... Contentam-se com dizer: "Eu me faria santo... eu me faria santo!" E, no entanto, não levam sua cruz com amor, paciência e conformidade; não aceitam a vontade de Deus.

Meu amigo, cumprindo à risca a vontade do Senhor, certamente seremos santos, em qualquer estado ou situação de vida. Não queiramos mais do que Deus quer e, então, ele levará o nosso nome gravado em suas mãos e em seu coração. Tenhamos sempre em mente algumas passagens da Escritura, que nos convidam a entrar no esquema da vontade divina: "O QUE HEI DE FAZER, SENHOR?" (At 22,10); "SOU TEU: SALVA-ME" (Sl 119,94); "SIM, PAI, PORQUE ASSIM FOI DO TEU AGRADO" (Mt 11,26).

Mas, entre todas as orações, é esta que devemos repetir e viver todo dia e todo momento: "SEJA FEITA A VOSSA VONTADE". SEJA PARA SEMPRE BENDITA E LOUVADA A VONTADE DO SENHOR, COMO TAMBÉM A IMACULADA E BEM-AVENTURADA VIRGEM MARIA.

MÁXIMAS DE SANTO AFONSO

Para quem quer amar perfeitamente Jesus Cristo

1. Queira sempre crescer no amor a Jesus Cristo.
2. Manifeste frequentemente seu amor a Jesus Cristo: acorde e adormeça fazendo um ato de amor. Procure sempre unir sua vontade à de Jesus Cristo.
3. Medite frequentemente na sua Paixão.
4. Peça sempre que Jesus Cristo lhe dê o seu amor.
5. Comungue frequentemente, durante o dia faça muitas comunhões espirituais.
6. Visite frequentemente Jesus Sacramentado.
7. Cada manhã receba sua cruz das mãos de Jesus Cristo.
8. Deseje o céu e a morte para amar perfeitamente e para sempre Jesus Cristo.

9. Fale muitas vezes do amor de Jesus Cristo.
10. Por amor de Jesus Cristo aceite as contrariedades.
11. Alegre-se com a felicidade de Deus.
12. Faça o que mais agrada a Jesus Cristo, nada lhe negue.
13. Deseje e procure que todos amem a Jesus Cristo.
14. Reze sempre pelos pecadores e pelos que estão no Purgatório.
15. Expulse do coração qualquer afeto que não seja por Jesus Cristo.
16. Recorra sempre a Maria para que lhe consiga a graça de amar Jesus Cristo.
17. Honre Maria para agradar Jesus Cristo.
18. Faça tudo para agradar Jesus Cristo.
19. Ofereça-se a Jesus Cristo para sofrer qualquer coisa por seu amor.
20. Queira antes morrer do que fazer um pecado leve deliberado.
21. Suporte em paz as cruzes dizendo: Assim quis Jesus Cristo.
22. Por amor de Jesus Cristo não procure sua própria satisfação.

23. Ore o mais que puder.
24. Faça todas as mortificações permitidas pela obediência.
25. Faça seus exercícios de piedade como se os fizesse pela última vez.
26. Continue firme nas boas obras, mesmo no tempo da aridez espiritual.
27. Não faça nada, nem deixe de fazer nada por respeito humano.
28. Não se lamente nas enfermidades.
29. Ame a solidão, para estar a sós com Jesus Cristo.
30. Expulse a melancolia.
31. Recomende-se à oração das pessoas que amam Jesus Cristo.
32. Nas tentações, recorra a Jesus Crucificado e a Maria, Mãe das Dores.
33. Confie muito na Paixão de Jesus Cristo.
34. Não perca a confiança por causa de seus defeitos: arrependa-se e trate de se emendar.
35. Faça o bem a quem lhe fez o mal.
36. Fale bem de todos; desculpe pelo menos a intenção se não puder desculpar as ações.

37. Ajude o próximo o mais que puder.
38. Não faça nada, nem diga nada que lhe desagrade. Tendo faltado com a caridade, peça-lhe perdão ou converse amistosamente.
39. Fale sempre com mansidão e sem elevar a voz.
40. Ofereça a Jesus Cristo os desprezos e as perseguições que fizerem a você.
41. Estime os superiores como Jesus Cristo.
42. Obedeça sem discussão nem resistência; não procure o que lhe agrada.
43. Ame as ocupações mais humildes.
44. Ame as coisas mais pobres.
45. Sobre sua própria pessoa não fale nem bem nem mal.
46. Seja humilde mesmo com os inferiores.
47. Não se desculpe diante das repreensões.
48. Não se defenda nas acusações.
49. Cale-se nos momentos de perturbação.
50. Renove sempre o propósito de se santificar, dizendo: Meu Jesus, quero pertencer-vos inteiramente, quero que sejais todo meu.

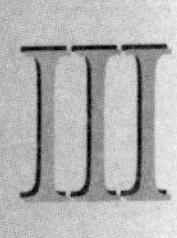

COMO CONVERSAR COM DEUS

O livreto "Modo di conversare continuamente ed alla familiare con Dio" foi publicado por Santo Afonso em 1754. Trazia uma observação: "tirado de um livreto francês, com o acréscimo de pensamentos, afetos e práticas". Alguns pensam que esse livrete fosse "Exercice de la Présence de Dieu" do P. Vaubert S.J. (Paris, 1770); outros acham que seja o "Méthode pour converser avec Dieu", do Pe. Michel Boutauld SJ, (Paris, 1684). Parece que ambas as fontes acabem sendo a mesma, pois Vaubert usou o texto de Boutauld como terceiro "livro" do seu "Exercice de la Présence de Dieu".

1. DEUS QUER QUE CONVERSEMOS COM ELE

Deus quer ser tratado como amigo

O velho e santo patriarca Jó não se cansava de admirar o amor e a bondade de Deus, que espalha seus benefícios sobre todas as criaturas.

Parece que a grande preocupação do Criador é fazer-se amado e amar a todos.

Por isso, falando com o Senhor, Jó exclamava, todo encantado: *"Que é o homem, para que faças caso dele, para que te ocupes dele?"* (Jó 7,17).

É um engano, pois, pensar que conversar com Deus familiarmente seria uma falta de respeito ao seu amor de Pai.

É claro que você deve se colocar diante dele com toda reverência e humildade, principalmente ao se lembrar dos pecados de sua vida passada...

Entretanto, isso não impede de tratá-lo com o mais puro e terno amor, já que Deus é infinito em todos os seus atributos: poder, bondade, justiça, misericórdia, amor etc.

Em Deus, você tem o Senhor mais sublime que pode existir, também o Pai mais misericordioso que possa imaginar. Ele não despreza, muito ao contrário, deseja vivamente que o trate com a mesma confiança, liberdade e ternura do filho para com sua mãe...

Veja bem com que palavras Deus nos convida a chegarmos à sua presença e que carícias nos promete: *"Sereis carregados nos braços, sereis acariciados nos joelhos. Como uma mãe consola um menino, assim eu vos consolarei"* (Is 66,12-13).

Como encanta a uma mãe levar seus filhos ao colo para serem alimentados e acariciados, com igual ternura Deus trata os corações que lhe são caros e depositaram toda fé e confiança em sua bondade sem limites.

Ninguém ama tanto você como Deus

Uma coisa é certa: Não existe ninguém neste mundo, nem amigo, nem irmão, nem pai, nem mãe, nem esposo, ninguém, que possa nos amar tanto como Deus, pois "Deus é amor" (1Jo 4,8).

A graça divina é o grande tesouro, por meio do qual nós, pobres e humildes criaturas, tornamo-nos amigos queridos do Pai do Céu.

Falando da graça de Deus, o livro da Sabedoria ensina: *"É tesouro inesgotável para os homens; aqueles que a adquirem obtêm a amizade de Deus"* (Sb 7,14).

E para nos inspirar mais confiança, Cristo chegou até a despojar-se de si mesmo, tomando a condição de servo, tornando-se semelhante aos homens (cf. Fl 2,7), para morar entre nós e conversar familiarmente conosco (cf. Br 3,38).

Mais. Chegou a fazer-se criança, a fazer-se pobre, a deixar-se condenar e crucificar; mais ainda, inventa a Eucaristia, na qual se torna pão da vida, companheiro da caminhada e amigo de todas as horas.

Cristo quer unir-se intimamente conosco, quando afirma: *"Quem come minha carne e bebe meu sangue permanece em mim e eu nele"* (Jo 6,56).

Resumindo, podemos dizer ao mundo inteiro que Cristo nos ama de tal maneira, que somos o único objeto de seu amor eterno. E, por isso, eu não posso amar nada fora de Deus. E não somente posso, como devo dizer: "*O meu amado é todo meu, e eu sou dele*" (Ct 2,16); o meu Deus entregou-se totalmente a mim, eu me entrego totalmente a ele, ele me escolheu para seu amado e eu o escolhi para meu único amor.

Oração

Então, você reze com frequência:

Senhor, por que me amastes tanto? Que coisa boa descobristes em mim? Esquecestes as injúrias que vos fiz? Já que me tratastes com tanto amor e em vez de me repelir me fizestes tantos favores, a quem amarei doravante, senão a vós, meu bem e meu tudo?

Ó meu Deus, o que mais me aflige nas ofensas passadas não é tanto o castigo que mereci, mas, antes, os desgostos que vos causei, a vós, que sois digno de amor infinito.

Mas vós não sabeis desprezar um coração que se arrepende e se desculpa humildemente.

"*Um coração contrito e humilhado tu, ó Deus, não rejeitas*" (Sl 51,19).

E quero rezar ainda com o salmista: *"Se tu, a quem eu tenho no céu, estás comigo, nada mais desejo na terra. Deus é a rocha do meu coração, minha herança para sempre"* (Sl 73,25-26).

Por isso, eu não quero outra coisa senão a vós, nesta e na outra vida.

A vós, meu único bem, meu paraíso, minha esperança, meu amor, meu tudo, Deus do meu coração e meu tesouro para sempre.

Nós confiamos em Deus

Para tornar mais forte nossa confiança em Deus, é bom recordar com frequência a maneira amável que ele tem com a gente e os meios amorosamente empregados para nos libertar de nossas fraquezas e nos atrair ao seu santo amor.

Não tenhamos receio de tratar com muita confiança o Deus de Jesus Cristo, e que nossa vontade seja firme em amá-lo e lhe agradar em tudo.

Se quisermos dar alegria ao coração de Deus, vamos tratá-lo, daqui para frente, com maior confiança e ternura que ele merece.

Deus falou pelo profeta Isaías: *"Eis que eu te desenhei na palma das mãos, e tuas muralhas estão sempre à minha vista"* (Is 49,16).

Alma querida, diz o Senhor Deus, por que estes temores e tão grande desconfiança?

Eu trago o nome de vocês gravado em minha mão, a fim de nunca perder de vista a felicidade que tanto lhes desejo.

Andam com medo dos inimigos? Mas podem saber que a preocupação de sua defesa está sempre presente em meu pensamento; é simplesmente impossível esquecê-la.

Por isso, o Rei Davi exclamava com alegria: *"Teu favor protege-o como um escudo"* (Sl 5,13).

Quem nos poderá causar dano, Senhor, se com bondade e amor nos defendeis e nos rodeais de todos os lados?

Reanimemos, sobretudo, nossa confiança, pensando no presente que Deus nos deu: Jesus Cristo!

São João nos lembra dessa verdade consoladora: *"Deus amou tanto o mundo que entregou o Filho Unigênito"* (Jo 3,16). E São Paulo acrescenta: *"Aquele que não poupou o próprio Filho, mas o entregou por nós todos, como não nos dará também todas as coisas?"* (Rm 8,32).

Sempre junto de Deus

Pode-se dizer que o paraíso de Deus é o coração do homem. Ele ama você e quer ser amado por você. Amor com amor se paga. "*... entusiasmando-me pelos filhos dos homens*" (Pr 8,31).

Se o Criador se sente muito feliz em estar conosco, por que, então, não passar toda a nossa vida com ele, uma vez que esperamos viver eternamente em sua deliciosa companhia?

Feliz o cristão que adquiriu o hábito de conversar, coração a coração, familiarmente, com Deus!

É fácil e agradável entreter-se com Deus

Erra demais o cristão que mostra desconfiança na sua comunicação, na sua conversação com Deus.

Erro maior, aparecer na sua presença como escravo, tímido e vergonhoso, que parece tremer de medo de seu Pai e Salvador.

Nunca deve passar pela sua cabeça que você está sendo molesto, pesado, insuportável a Deus, porque ele mesmo se adiantou, dizendo: "*Sua companhia não traz amargura, nem aflição o seu convívio*" (Sb 8,16).

Você pode perguntar aos cristãos que se esforçam, que procuram generosamente amar a Deus, e eles dirão que nas penas da vida a sua mais doce e sólida consolação é entreter-se familiarmente com Deus.

Conversar com Deus dá gosto e alegria...

Encontro com Deus nas ocupações e recreações

O trato familiar com Deus não exige de você aplicação contínua do espírito. Também você não precisa esquecer seus deveres nem sequer suas recreações.

O que o Pai do céu lhe pede é que, sem abandonar suas ocupações, você procure proceder com Deus, como procede com as pessoas que o amam e são amadas por você.

Nossas pequenas coisas também lhe interessam

O Deus revelado por Jesus está sempre perto de você, e até dentro de você. É o que nos lembra o apóstolo Paulo: *"É nele (= Deus) que vivemos, movemo-nos e existimos"* (At 17,28).

Quem deseja conversar com ele encontra sempre a porta aberta. Deus gosta daqueles que o tratam com toda confiança e simplicidade.

Você pode falar a Deus de seus negócios, projetos, sofrimentos, angústias, como já lhe disse, confiadamente, com o coração aberto.

Deus não tem costume de falar a um coração que não lhe fale... pois, se não está acostumado a falar com ele, como irá entender sua voz?

Disso se lamenta o Senhor Deus quando diz: *"Temos uma irmãzinha... O que faremos por nossa irmã, quando alguém pedir sua mão?"* (Ct 8,8). Nossa irmã não passa ainda duma criança no meu amor; como faremos para lhe falar, se ela não compreende?

Para quem despreza sua graça, Deus é terrível, mas para quem o ama, quer ser tratado como o amigo que não falha.

Ele quer que lhe falemos muitas vezes, com familiaridade e sem temor.

Seja transparente diante do Senhor

Deus, Senhor absoluto de todos e de tudo, deve sempre ser sumamente respeitado.

Todavia, ele concede a você a graça de saber que ele está em todo o seu ser e deseja que lhe fale como a um amigo de verdade que o ama com amizade profunda.

Você precisa abrir-lhe o coração com toda liberdade e confiança.

O livro da Sabedoria diz que Deus se antecipa a dar-se a conhecer aos que o desejam (cf. Sb 6,13).

Quando você deseja o amor de Deus, o dom maior, ele não espera que você vá a ele. Ele se apressa, apresenta-se trazendo a você a graça e todos os meios de salvação. Somente espera que lhe fale, provando assim que ele está perto de você para ouvi-lo e confortá-lo.

É o que nos garante o salmista quando diz: "*O Senhor tem os olhos voltados para os justos, e o ouvido atento ao seu clamor*" (Sl 34,16).

Deus está no coração do homem

Pela sua imensidade, Deus está presente em todos os lugares.

Há, contudo, dois principais onde ele tem sua própria habitação: o primeiro, é o céu, onde está presente pela glória que comunica aos bem-aventurados; o segundo, a terra, onde está o coração humano que o ama ternamente.

O profeta Isaías, contemplando a presença divina, diz: *"Eu ocupo uma morada sublime e santa, mas também moro com os oprimidos e humildes"* (Is 57,15).

O nosso bondoso Deus, embora habitando nas alturas do céu, não despreza entreter-se, dias e noites, com seus amigos e servidores, para fazê-los participantes de suas divinas alegrias, das quais uma só supera todas as alegrias que o mundo pode dar. Essas consolações só não deseja quem nunca as provou: *"Saboreai e vede como o Senhor é bom!"* (Sl 34,9).

Deus sempre nos acompanha

Os amigos do mundo têm horas para conversar e horas em que se separam, mas entre Deus e seus amigos não é assim.

Se você quiser, nunca haverá separação, pois Deus é o amigo fiel.

Veja, leia o que ele diz no livro dos Provérbios: *"Quando te deitares, não terás sobressaltos... porque o Senhor estará a teu lado"* (Pr 3,24.26). Deus sempre estará ao nosso lado, guardando-nos e protegendo, como está escrito: *"Eu repousarei junto a ela..."* (cf. Sb 8,16) *"... sabendo que me será conselheira..."* (cf. Sb 8,9), aceitando e recebendo nossos atos de fé, amor, de oferenda e gratidão.

Na alegria e na tristeza, na doença e na saúde, de dia e de noite, Deus promete manter amável e suave conversação conosco: *".. e lhe falarei em sonhos"* (Nm 12,6).

Ele não está longe de você

Quando você repousa, Deus não se afasta de seu quarto, e quando você se levanta, ele já está junto de você.

Logo de manhã, quer ouvir suas preces, palavras de afeto ou confiança; quer recolher seus primeiros pensamentos e desejos, projetos e propósitos de falar e agir para lhe dar gosto durante o dia que começa. Deus promete recompensa, prêmio eterno às pessoas que lutam e trabalham pelo seu reino, pela sua glória. Eu mesmo serei a vossa recompensa (Jesus Cristo).

É alegria muito grande saber do mesmo Deus que ele não está longe de você, e para que esta Boa-Nova seja uma viva realidade, dá-nos o mandamento: *"Amarás o Senhor teu Deus, com todo o coração"* (Dt 6,5).

Rezar sempre

Não se esqueça, então, da doce presença do Senhor, como fazem, infelizmente, a maioria dos homens. Converse com ele, sempre que possível. E quem ama sempre acha tempo para Deus. Quem ama reza. Amar é rezar!

Ele não é como os grandes do mundo; não se cansará com isso nem o desprezará.

Pode dizer a Deus, fonte de todos os bens, tudo o que se apresenta no tocante à sua pessoa e interesses, como o dirá a um amigo íntimo.

Não o considere como um príncipe soberbo, que não quer tratar senão de coisas altas, e somente com grandes personagens.

O nosso Deus tem prazer em descer até nós, pobres pecadores, e quer que lhe comuniquemos nossos projetos, mesmo que sejam sem nenhuma importância. Ele ama você, cuida de você, como se fosse o único objeto de seus pensamentos.

Parece conservar sua divina providência unicamente para ajudá-lo; sua onipotência para ampará-lo; sua misericórdia e bondade para ter compaixão de você; para lhe fazer o bem, ganhar a confiança e o amor de seu coração.

Você pode revelar-lhe todo o seu interior e pedir-lhe que o dirija ao perfeito cumprimento de sua santa vontade; leia a Bíblia: *"Confia teu caminho ao Senhor e espera! Ele atuará"* (Sl 37,5). *"Pede-lhe que se tornem retos os teus caminhos e tenham êxito todos os teus roteiros e teus planos"* (Tb 4,19).

2. QUANDO DEVEMOS CONVERSAR COM DEUS

Em todas as necessidades

Você nunca deve dizer: para que expor a Deus todas as minhas necessidades? Ele as vê e conhece melhor do que eu. Deus as conhece, não há dúvida, mas procede como se ignorasse as necessidades de que não lhe fala e para as quais você não recorre a ele.

Nosso Salvador sabia perfeitamente da morte de Lázaro; entretanto, não demonstrou sabê-lo, senão quando Marta e Maria lhe comunicaram; só então as consolou, ressuscitando-lhes o irmão (cf. Jo 11,1ss.).

Nos sofrimentos e nos momentos difíceis

Assim, quando você passar por enfermidades, tentações, perseguições, tribulações e outras provações da vida cristã, vá sem demora ao Senhor e suplique-lhe força e coragem.

Em face de tudo isto, diga com muita fé ao Deus de Jesus Cristo, que sofreu para poder entrar na glória: *"Olha, Senhor, quão angustiada estou"* (Lm 1,20). E ele não deixará de animá-lo, ou ao menos lhe dará forças para levar com paciência a cruz de cada dia, o que valerá mais para você do que tirá-la de todo. Ele não nos tira do caminho do sofrimento, mas nos dá coragem. Sustenta nossa perseverança.

Então, quando a cruz da vida lhe pesar muito, não desanime. Levante para ele todos os pensamentos que atormentam seu coração inquieto e diga-lhe: Meu Deus, em vós ponho todas as minhas esperanças; ofereço-vos esta provação e me resigno à vossa santa vontade, mas tende compaixão de mim; livrai-me desta aflição ou ajudai-me a suportá-la!

E, sem dúvida, ele cumprirá a promessa que fez no Evangelho de consolar e confortar a todos que a ele recorrem com fé e amor: *"Vinde a mim, todos vós, fatigados e sobrecarregados, e eu vos aliviarei!"* (Mt 11,28).

Ele é o Divino Amigo

Se alguma vez você busca, junto de seus amigos, alguma consolação, algum alívio nas suas tristezas e angústias, tudo bem; Deus não se ofende com isto, mas quer que — de preferência — você recorra a ele.

Assim, ao menos, depois de ter pedido às criaturas consolações, que elas não lhe puderam dar, volte-se para o Deus de Jesus Cristo e exclame com o patriarca Jó: *"Vós não sois senão embusteiros, todos vós meros charlatães"* (Jó 13,4).

Os meus amigos são todos fracos e incapazes para consolar-me e levantar o meu ânimo abatido pela dor. Vós, ó meu Deus, sois toda a minha esperança e todo o meu amor; só de vós espero a minha consolação e a graça de fazer só o que vos agrada!

Eis-me aqui, Senhor, estou disposto a sofrer esta pena durante toda a minha vida, se esta for a vossa vontade, mas, ó meu Deus, ajudai-me!

Nas incertezas e inseguranças da vida

Você não dará desgosto a nosso Senhor, se alguma vez se queixar dele, nestes termos: Senhor, vós sabeis que eu vos amo, e não desejo outra coisa que o vosso santo amor.

Quero vos dizer com o salmista: *"Por que, Senhor, ficas tão longe e te ocultas em tempo de perigo?"* (Sl 10,22).

Por misericórdia, vinde em meu socorro, não me abandoneis!

E, se a desolação prolongar-se muito e esmagá-lo muito, procure unir sua aflição à de Cristo agonizante nos braços da cruz e reze confiante: *"Meu Deus, meu Deus, por que me abandonaste?"* (Mt 27,46)

Mas aproveite esta ocasião de se humilhar profundamente, lembrando-se de que não merece nenhuma consolação quem tanto ofendeu a Deus.

Todavia, reanime sua confiança, pensando que o Pai celeste não faz, não permite nada que não seja para o nosso bem temporal e eterno: *"Nós sabemos que todas as coisas concorrem para o bem daqueles que amam a Deus"* (Rm 8,28).

Mais confiança que temor

"Amai a justiça, vós, que governais a terra; tende bons sentimentos para com

o Senhor e com simplicidade do coração procurai-o" (Sb 1,1).

Com estas belas palavras, o sábio nos exorta a ter mais confiança na misericórdia de Deus do que temor em sua justiça.

Deus está infinitamente mais inclinado a nos abençoar que castigar.

É precisamente isto que nos ensina São Tiago: *"A misericórdia triunfa sobre o juízo"* (Tg 2,13).

Por isso, o apóstolo São Pedro nos adverte que em nossas atividades e preocupações, tanto temporais como espirituais, devemos nos entregar inteiramente à bondade de nosso Deus, que cuida amorosamente de nossa eterna salvação. Assim, São Pedro nos encoraja: *"Lançai sobre ele vossas preocupações, porque cuida de vós"* (1Pd 5,7).

Que belo título Davi dá ao Senhor, quando lhe chama o Deus que salva: *"Nosso Deus é um Deus Salvador"* (Sl 68,21).

O que significa que a missão própria do Senhor, como ensina o Cardeal Belarmino, já não é condenar, mas salvar todos os homens.

Enquanto ameaça com a perdição os que o desprezam, promete com segurança sua misericórdia aos que o temem, como cantou a divina Mãe no seu Magnificat: "*Sua misericórdia passa de geração em geração para os que o temem*" (Lc 1,50).

Recordo a você, meu amigo, esses textos da Sagrada Escritura, a fim de que se, alguma vez, você for tentado com inquietações a respeito de sua eterna salvação, você fique tranquilo e veja nas promessas do Senhor quanto ele deseja salvá-lo, contanto que você esteja resolvido a amá-lo e a servi-lo como ele quer.

Rezar é louvar na alegria

Quando você receber alguma notícia alegre, não faça como muitas pessoas insensíveis e ingratas, que recorrem a Deus no tempo da vaca magra, na tribulação, mas na abundância, na prosperidade o esquecem e até o abandonam, fogem da Igreja.

Procure agir com Deus com a mesma fidelidade que você usa com um amigo sincero, que você ama e considera.

Comunique a Deus toda sua alegria, louvando e agradecendo, e reconheça que todo bem vem de Deus. Julgue-se feliz por ser devedor a Deus dessa alegria e consolação.

Pois está escrito: *"Eu, porém, alegrar-me-ei no Senhor, exultarei no Deus de minha salvação"* (Hab 3,18).

O salmista louvava a Deus em face de seus benefícios: *"Pela salvação rejubile em ti meu coração! Cantarei ao Senhor pelo bem que me fez!"* (Sl 13,6).

Reze assim: Meu Jesus, eu louvo a Deus e sempre o glorificarei por todas as graças recebidas, pois mereço vossos castigos, não vossos favores!

Senhor, mil graças vos dou e conservarei a lembrança de todos vossos benefícios, passados e presentes, e a vós honra e glória por toda a eternidade!

Na tristeza e no pecado

Esmagado por tantas e inúmeras faltas, fraquezas e misérias, não desanime, mas, confiante no coração misericordioso de Jesus, peça perdão.

Agindo assim, você dará a Deus um sinal de confiança que é singularmente agradável ao Deus de infinita misericórdia.

Você precisa se convencer desta verdade evangélica: Deus é tão inclinado a perdoar que, se pudesse chorar, choraria pela perdição de tantos pecadores; de tantas almas que vivem em pecado, sem a graça e sem paz.

E Deus fala pelo profeta: "*Juro por minha vida: não tenho prazer na morte do ímpio, mas antes que ele mude de conduta e viva*" (Ez 33,11).

E Deus, que é a própria misericórdia, chega a dizer: Pecadores, arrependei-vos de me ter ofendido, depois vinde a mim; se não vos perdoar, acusai-me de mentira e infidelidade; não faltarei à palavra empenhada: "*Vinde, debatamos — diz o Senhor. Ainda que vossos pecados sejam como a púrpura, tornar-se-ão como a neve*" (Is 1,18).

Enfim, é declaração formal do Senhor: que lançará no esquecimento todos os pecados da alma que se arrepender de o ter ofendido: "*Nenhum dos crimes cometidos será lembrado contra ele*" (Ez 18,22).

Nas dúvidas

Quando você tem alguma dúvida na própria conduta ou no procedimento do próximo, aí você imite os amigos fiéis que nada fazem sem se consultar e nunca deixe de dar a Deus esta prova de confiança, ora lhe pedindo conselho, ora suplicando que o ilumine para agir conforme sua santa vontade.

Então, nas dúvidas e inquietações, reze com a valorosa Judite: *"Lembrai-vos, Senhor, da vossa promessa; inspirai as palavras de minha boca e fortalecei, nesta empresa, o meu coração!"* (Jt 9,18 - cf. Vulgata).

E com Samuel: *"Fala, que teu servo escuta"* (1Sm 3,10).

Dizei-me, Senhor, o que devo fazer ou aconselhar, e assim o farei.

No sofrimento de meus irmãos

Não se esqueça de recomendar a Deus também as necessidades dos outros. Quanto você agradaria a Deus, se, esquecido de suas próprias carências, fraquezas e misérias, falasse-lhe dos interesses de sua Glória, de sua Igreja, das famílias cristãs, recomendasse-lhe em particular os pobres pecadores, os infelizes que agem sob o peso de suas tribulações, as almas do purgatório, os que não conhecem nem amam a Deus.

Em favor dos que vivem privados da graça divina, você poderia rezar assim: Senhor, sendo todo amável, mereceis amor infinito!

Como podeis permitir que haja no mundo tantas almas que, cumuladas de dons e graças, não vos querem conhecer nem amar, e até vos ofendem e desprezam? Ó meu Deus, digno de infinito amor, fazei que vos conheçam, fazei que vos amem! Santificado seja o vosso nome, adorado e amado por todos, e reine o vosso santo amor em todos os corações. Não me deixes, Senhor, sem haver dado alguma graça para essas pobres almas, em cujo favor eu vos intercedo e peço misericórdia.

Você deseja mesmo o céu?

Há no purgatório, segundo se pensa, um castigo, uma pena particular, castigo especial, chamado languidez, debilidade, indiferença.

Acredita-se que a esse castigo são condenadas as almas que nesta vida pouco desejaram o céu, o paraíso, a vida eterna.

Essa opinião tem fundamento. Por isso, você não se esqueça de desejar continuamente o paraíso, a eterna felicidade, dizendo ao Senhor que não vê a hora de amá-lo e contemplá-lo, face a face, no céu. Que esta terra é mesmo para você um verdadeiro e prolongado exílio. Que você deseja intensamente sair deste mundo de pecados, onde se corre o risco frequente de perder a amizade com Deus e com os irmãos.

Todos os dias você reze: Meu Jesus, enquanto aqui eu viver, estarei sempre em perigo de vos abandonar e perder o vosso amor, a maior riqueza do mundo.

Quando, então, me será dado deixar esta terra em que vos ofendo todos os dias, e ir para o céu, e amar-vos de todo o meu coração e unir-me a vós para sempre, sem temor de vos perder nunca mais?

Por esta vida em plenitude, vida definitiva, *"vida que não acaba"*, suspirava sempre Santa Teresa, Doutora da Igreja, e se alegrava quando o relógio dava horas, pensando que era mais uma hora que se passava, uma hora de perigo de perder a Deus.

E tão grande era seu desejo de morrer para possuir Deus para sempre, que ela exclamava: *"eu morro de pesar de não poder morrer!"*...

Deus responde ao homem que reza

Afinal, se você deseja dar gosto a Deus, que recebe tanto desgosto dos homens, procure falar continuamente com ele, e com grande familiaridade, confiança, e com toda simplicidade de seu coração.

E ele não tardará em escutar e responder a você.

Exteriormente, sensivelmente, você não ouvirá a sua voz; mas ele falará ao seu coração. A linguagem de Deus não é a linguagem dos homens. É a linguagem do amor, do puro amor, do coração ao coração.

Deus não fala do barulho, pois o barulho não faz bem e o bem não faz barulho. Ele fala no mais íntimo de seu ser, no mais profundo silêncio; pois é no silêncio que as almas crescem.

Já o profeta Oseias doutrinava: *"Eu a conduzirei ao deserto e lhe falarei ao coração"* (Os 2,16).

Então, ele nos falará pelas inspirações, luzes interiores, sinais de sua bondade, toques suaves que penetram o coração, certeza de perdão, penhor de paz, esperança de felicidade, alegrias íntimas, carícias de sua graça; é assim que sentiremos o abraço de um Deus, quc deseja seriamente a salvação de todos os homens.

Numa palavra, o Senhor nos fará entender essa linguagem de amor, perfeitamente compreensível às almas que ele ama.

3. COMO CONVERSAR COM DEUS

Antes de terminar, eu quero recordar a você, embora resumidamente, as coisas esparsas nas páginas anteriores, indicando-lhe um modo prático de tornar agradáveis a Deus as suas ações diárias.

Ao levantar-se

De manhã ao despertar, será o seu primeiro pensamento, a sua primeira preocupação elevar o coração a Deus e lhe oferecer tudo quanto fizer e sofrer durante o dia.

Não se esqueça de lhe pedir que o ajude com a sua graça, sem a qual ninguém pode agradar a Deus.

Em seguida, você faça os atos que todo bom cristão deve fazer cada manhã: de amor e agradecimento; de súplica e bom propósito, resolução de passar esse dia como se fosse o último de sua vida.

Você pode fazer esta pequena oração ou semelhante: "Seja todo este dia, um grande louvor a Jesus e a Maria"; "tudo por amor a Jesus e a Maria"...

Você poderia fazer esta intenção: Meu Deus, cada vez que eu olhar para o céu, cada vez que eu vir a beleza de uma flor; a pureza de uma criança; cada vez que o meu coração bater, eu quero fazer um ato de fé, um ato de amor, e vos oferecer a minha vida.

E desejar com ardor que Deus seja conhecido e amado de todos os homens.

Depois de fazer estes atos de profunda piedade cristã, e tão agradáveis a Deus, consagre seu dia ao Coração de Jesus e ao imaculado Coração de Maria; e procure, logo e antes de outras ações, fazer a oração ou meditação da manhã.

Se você quer mesmo progredir na vida interior, cultive com carinho estas três devoções: Paixão de Cristo — Eucaristia — Nossa Senhora.

Na oração, você não deixe de repetir muitas vezes os atos de arrependimento, amor de Deus e a oferta de sua própria vontade a Deus.

Uma senhora me disse que um Pai-Nosso rezado com fervor e muita fé lhe dava força e coragem para viver dez horas na alegria e na paz.

Durante o dia

Procure depois fazer com devoção os demais exercícios de piedade, como a confissão — celebração da misericórdia de Deus. Se possível, a comunhão diária, ou frequente, orar com os Salmos e com a Oração do Tempo Presente.

Quando você tiver de se entregar às ocupações: ao estudo, ao trabalho, ou a outros deveres próprios de sua forma de vida, então, não se esqueça, no começo de cada ação, de oferecê-la a Deus, pelas mãos de Maria, pedindo sua força e ajuda para executá-la bem.

Numa palavra, tudo o que você fizer, falar, pensar, faça-o com Deus e para Deus.

Deus em tudo e tudo em Deus!...

Ao sair e ao voltar ao quarto ou a casa, recomende-se sempre à Santa Mãe de Deus, rezando uma Ave-Maria.

Ao sentar-se à mesa, ofereça a Deus o gosto ou pouco sabor da comida ou da bebida; reze antes e depois da refeição, dando graças a Deus. Poderá dizer a Deus: ó meu Deus, quanta gente passando fome por este mundo, e eu, pecador, tenho o que comer!

Durante o dia, procure fazer uma leitura espiritual, a visita ao Santíssimo Sacramento e a Nossa Senhora.

À tarde, sempre que possível com toda a família, reze o terço que tanto agrada a Deus e a Nossa Senhora.

E à noite, pedindo uma noite calma e tranquila, examine a consciência, com os atos cristãos de fé, esperança, caridade, arrependimento, propósito de emenda e desejo de receber durante a vida e na hora da morte os sacramentos da Igreja.

Ao deitar-se, fazendo o nome do Pai, do Filho e do Espírito Santo, reze com o profeta Davi, contando com a proteção do Senhor: *"Em paz me deito e logo adormeço"* (Sl 4,9).

Em outras ocasiões

Se você deseja mesmo ser todo de Deus, veja de passar sua vida em perfeito recolhimento e união com Deus, tirando proveito de tudo o que vê e ouve, para levantar seus pensamentos e sentimentos para a eternidade, que, cada dia, se aproxima.

Por exemplo, vendo um regato, um rio que passa, imagine que a vida do homem se escoa da mesma sorte; vendo uma lâmpada que se extingue, uma vela que se apaga, imagine que a sua vida terá de se acabar, um dia, da mesma forma; vendo um túmulo, um cadáver no velório, lembre-se de que um dia seu corpo será também pasto dos vermes...

Vendo os grandes do mundo nadando em dinheiro e prazeres, donos do poder e dignidades, compadeça-se de sua vaidade e futilidades e diga: para mim, Deus me basta; eles se gloriam de honrarias e pompas balofas, e eu só me honro e me glorio de possuir o grande tesouro do amor e da graça de Deus; e rezo com o profeta e rei Davi: *"O Senhor é a força de seu Ungido, sua fortaleza de salvação"* (Sl 28,8).

Quando você participa de pomposos funerais e vê os túmulos suntuosos, riquíssimos dos grandes do mundo, pode dizer a você mesmo: e se eles se condenaram, para que tanto luxo, para que tamanha ostentação?

Quando você contempla o imenso mar tranquilo ou enfurecido pela tempestade, considere a diferença que há entre o homem que goza da graça de Deus e aquele que vive em pecado.

Quando você vê uma árvore seca, pense e diga: isto é o homem sem Deus, sem virtudes; somente presta para ser lançado ao fogo do inferno.

Quando você vê um homem culpado de um crime, que treme de medo e de vergonha na presença do juiz, do sacerdote ou de qualquer autoridade, recorde o temor e espanto que deve se apoderar do homem cheio de pecados ante o tribunal de Cristo, juiz dos vivos e dos mortos.

Quando o firmamento despeja raios e tempestades e ribombam os trovões, isto assusta qualquer mortal; pense no medo, no espanto dos condenados, que eternamente estão sofrendo longe de Deus...

Quando você vê alguém condenado à morte afligir-se e dizer: não há então meio de escapar da morte!

Considere qual deve ser o desespero do homem condenado, mergulhado para sempre nas chamas do inferno, a gritar: não há então esperança, remédio para a minha perdição eterna?

É preciso contemplar a natureza de Deus

Quando você contempla os campos, montanhas, colinas, praias, as flores, os frutos, cuja vista e beleza alegram seu coração, cuja cor e olor recreiam seus sentidos, pode exclamar extasiado: Que belas criaturas o Senhor pôs para mim na terra, para que eu o ame! E que delícias me reserva no céu...

Santa Teresa, contemplando a linda natureza de Deus, dizia que gritava contra sua ingratidão para com Deus.

O abade Rancé, fundador da Trapa, afirmava que tanta variedade de seres admiráveis lhe recordavam a obrigação de amar a Deus.

De igual maneira, Santo Agostinho exclamava: *"Senhor, o céu e a terra, e tudo o que eles encerram, dizem-me que eu devo vos amar"*.

Quando Santa Maria Madalena de Pazzi tinha nas mãos um belo fruto, ou uma linda flor, sentia o coração penetrado por setas de amor para com Deus e refletia assim: *"Meu Deus pensou, desde toda a eternidade, em criar estas maravilhas para dar-me um sinal do seu amor"*.

Os grandes rios ou pequenos regatos devem trazer à nossa lembrança esta verdade:

como as águas vão para o mar sem nunca parar, nós também corremos para Deus, nosso eterno e supremo bem.

Quando você ouve o canto dos pássaros, diga ao seu coração: escute, meu coração, como pequeninos seres privados de razão louvam o Criador! E você, o que faz? — e depois você louve seu Deus com um ato de amor.

Mas, se é o canto do galo, lembre-se de que houve um tempo em que, como São Pedro, você renegou o seu Deus; renove então seu arrependimento, chore seus pecados.

Vendo tal casa, tal lugar, onde outrora você pecou, volte-se para o Senhor das misericórdias, dizendo-lhe com Davi: *"Não recordes os pecados da minha juventude nem minhas faltas"* (Sl 25,7).

Na contemplação dos vales e planícies, fertilizados pelas águas que descem das montanhas, pense que assim as graças de Deus descem sobre os humildes e se separam dos orgulhosos...

Quando você admira uma igreja bem construída, rica, bonita, lembre-se de que uma pessoa em estado de graça é um verdadeiro santuário de Deus.

Quando você contemplar o céu estrelado, agradecido diga com Santo André Avelino: *"Esses astros estarão, um dia, debaixo dos meus pés!"*

Recordando a vida de Jesus

Lembre-se também, frequentemente, da vida e morte, dos mistérios de amor de Nosso Senhor Jesus Cristo.

Quando você vir palha, estábulo, presépio, lembre-se do Menino-Deus na manjedoura de Belém.

Se é uma serra, um martelo, vigas, vigotas, machado, pense em Jesus trabalhando como simples operário na oficina de Nazaré.

Se são cordas, espinhos, cravos, uma peça de madeira, cruz, pense nas dores e morte de nosso divino Redentor.

São Francisco de Assis não podia ver um cordeiro, uma ovelha sem se enternecer até às lágrimas, dizendo: *"Meu Senhor Jesus Cristo foi conduzido como um cordeiro inocente a morrer por mim"*.

Finalmente, quando você vir altares, cálices, paramentos, lembre-se do grande amor que Cristo nos testemunhou, dando-se a nós no sacramento da Eucaristia.

Consagrando sua vida

Todos os dias, consagre-se a Deus com frequência, como o fazia a grande Santa Teresa, dizendo: "*Aqui estou, Senhor, fazei de mim o que quiserdes; que devo fazer para vosso serviço e para o serviço dos irmãos?*"

Multiplique, o mais que você puder, os atos de fé, esperança e caridade.

Estes atos, diz a mesma santa, são como combustível que alimenta no coração do cristão o incêndio do amor divino...

Quando você cair em alguma fraqueza, em alguma falta, não desanime, levante-se logo por um ato de arrependimento e amor.

Cristo caiu três vezes na subida ao Calvário para levantar você de suas culpas...

Quando um desgosto, uma contrariedade, uma má notícia angustiarem seu coração, ofereça logo essa pena ao Senhor, acrescentando: tudo por amor de Deus; seja feita a vontade de Deus; Deus o quer assim, também eu o quero!

Quando a sabedoria lhe é necessária

Quando você tem de resolver um problema, quando surgir uma dificuldade, ou dar um conselho de importância, recomende-se primeiro a Deus, invoque o Espírito Santo, valha-se do socorro de Maria; assim, você pode agir e responder, dar seu parecer.

Para obter a ajuda de Deus, lance muitas vezes o olhar sobre o crucifixo ou a imagem da Santíssima Virgem, que você deve ter no seu quarto.

Não se esqueça de invocar frequentemente os nomes tão queridos e poderosos de Jesus, Maria e José, sobretudo nas dúvidas e tentações.

Deus, em sua infinita bondade, tem grande desejo de nos conceder suas graças.

O venerável Pe. Baltazar Álvares viu um dia a Jesus Cristo com as mãos cheias de graças, procurando a quem distribuí-las; mas quer o Senhor que lhas peçamos: *"Pedi e recebereis, para que seja completa a vossa alegria"* (Jo 16,24).

Faltando a oração, Deus retira suas mãos; ao contrário, estarão sempre abertas aos que o invocam. É o que nos lembra o Espírito Santo: Quem o invocou e foi desprezado?

E o rei Davi acrescenta *"Tu, Senhor, és benigno e indulgente, rico em misericórdia para com todos os que te invocam"* (Sl 86,5).

Quem reza se salva; quem reza é feliz.

Sem oração não há religião, não há fé, não haverá salvação.

CONCLUSÃO:

Que Jesus seja tudo para você, tudo para sua vida!

Que bom e generoso é o Senhor, diz o profeta Jeremias, *"para quem nele espera, para a alma que o busca"* (Lm 3,25). Mas, buscá-lo com amor perseverante.

E São Paulo ajunta: *"Um mesmo é o Senhor de todos, rico para todos que o invocam. Porque todo aquele que invocar o nome do Senhor será salvo"* (Rm 10,12-13).

Deus chega a falar pela boca de Isaías, que se encontra até para aqueles que não o procuram.

Com que amor, então, não irá ao encontro daquele que o procura com o intento de servi-lo e amá-lo!

No céu, os Santos não tratam senão com Deus; todos os seus pensamentos se referem à sua Glória, todo o seu prazer é amá-lo;

assim você deve proceder. Seja Deus, neste mundo, a sua única felicidade, o único objeto de seus afetos, o único fim de todas as suas ações e desejos. Assim, você chegará ao Reino de Deus, onde Deus será tudo para você, tudo para todos. E o nosso amor será em tudo para você, tudo para todos. E o nosso amor será em tudo perfeito e consumado, os nossos desejos plenamente completos e satisfeitos.

Viva Jesus, nosso amor, e viva Maria, nossa esperança!

ÍNDICE

Este livro foi composto com as famílias tipográficas Mistral, Times e Tekton
e impresso em papel Offset 75g/m² pela **Gráfica Santuário**.